1978—2018

改革开放40年
最有影响力的40部小说

短篇小说卷

《小说选刊》杂志社　选编
王　干　主编

中国言实出版社

图书在版编目（CIP）数据

改革开放40年最有影响力的40部小说．短篇小说卷/王干主编；《小说选刊》杂志社选编．-- 北京：中国言实出版社，2019.5

ISBN 978-7-5171-3125-0

Ⅰ．①改…　Ⅱ．①王…②小…　Ⅲ．①短篇小说－小说集－中国－当代　Ⅳ．①I247

中国版本图书馆CIP数据核字（2019）第071906号

出 版 人：王昕朋
总 监 制：朱艳华
责任编辑：肖　彭
　　　　　张　朕
出版统筹：冯素丽
责任印制：佟贵兆
封面设计：淡晓库

出版发行　中国言实出版社
　　地　址：北京市朝阳区北苑路180号加利大厦5号楼105室
　　邮　编：100101
　　编辑部：北京市海淀区北太平庄路甲1号
　　邮　编：100088
　　电　话：64924853（总编室）　64924716（发行部）
　　网　址：www.zgyscbs.cn
　　E-mail：zgyscbs@263.net
经　　销　新华书店
印　　刷　北京温林源印刷有限公司
版　　次　2019年6月第1版　　2019年6月第1次印刷
规　　格　710毫米×1000毫米　1/16　11.25印张
字　　数　174千字
定　　价　46.00元　　ISBN 978-7-5171-3125-0

总　序

改革的呼唤　小说的开放

——论中国改革开放 40 年的小说

王　干

改革开放 40 年（1978—2018）的小说无疑是当代文学史最浓墨重彩的部分，今天我们来探讨这样一个历史时段的文学，既是近距离，又是远距离。远距离是时间已经过去 40 年，从 1978 年开始的新时期文学，已然成为历史。而正在发展变化的文学过程，刚刚过去，又是超近的距离。我在这里重点阐发改革开放这样一个伟大的历史时期对小说的外部和内部产生的巨大影响，它催发出的小说思潮和小说变革成为五四新文学诞生以来的又一个高光时刻。在恰逢改革开放 40 年之际，本文将 40 年改革开放与文学创作之间的互动从社会背景、写作理念、叙事、语言、美学以及阅读主体构成的变化等多方面纳入一个整体中来予以系统考察，多维度地呈现出改革开放后文学创作的生长性面貌和特有的历史节奏感，以推动改革开放文学经典化的研究继续走向深化。

“兴废”：改革策动与小说回应

“文变染乎世情，兴废系乎时序”，刘勰在《文心雕龙》里的这句话用来描述改革开放与文学创作的关系是非常确切的。改革开放 40 年来，我们国家在经济、社会、文化等方方面面都取得了历史性的变革、历史性的发展、历史性的成就，文学与改革开放是一起呐喊、一起前进的，成为改革开放文化中的重要组成部分，因为“文变染乎世情”。中国社会的变革与转型在1978年被推至一个临界点，这一时期既意味着巨大的机遇，也意味着一个持续的“乍暖还寒”的险境。1977年《班主任》的发表也是呼应了时代，1978年党的十一届三中全会的召开，奠定了从封闭保守、强调意识形态领域的斗争到认同现代化大趋势的对内改革、对外开放的大势。

1978年底，《文艺报》和《文学评论》两家刊物联合在新侨饭店礼堂召开了140余人参加的“作家作品落实政策座谈会”。以这次会议为新起点，文艺界才开始“落实政策”，恢复大批作家的名誉和自由。平反政策的落实让从事文艺创作和评论的工作者在心理上找到了认可和慰藉，逐步获得了相对合法的身份，也就是说改革开放为文艺创作提供良好的社会环境。1979年第4期的《上海文学》推出了李子云和周介人的文章《为文艺正名——驳“文艺是阶级斗争的工具”说》，并提供专栏展开讨论。这是文学对政治过度介入的一次公开的反拨，也是一次对文学艺术审美本质的呼唤。这次“为文艺正名”的讨论具有一种历史性开端的意义。

现在的文学史把“伤痕文学”“反思文学”“改革文学”作为历时性的三股文学思潮，好像是不断进化的一个文学的过程，而今天我们重新来阅读这些作品，发现这个过程不是直线的进程，三者有时候是相互交叉的，在批判揭露“极左”思潮的错误的同时自然会反思历史伤痕形成的原因，在如何摆脱历史困境寻找未来出路时，当然会发出变革社会的呼声。伤痕文学、反思文学作为短暂的文学潮流在一定程度上释放了大众对于民族灾难和个体创伤的哀怨，接下来需要重新面对新的生活，因此改革文学代替伤痕文学、反思文学的主潮也是时代所需，具有历史的必然性。“春江水暖鸭先知”，中国的作家先感受到时代春风的来临。同时，文学也反映出人民的心声，能够及时地传达老百姓对社会变革、对社会进步的诉求。作家通过写作品来呼唤时代变革，呼唤社会进步，呼唤我们对旧有的陈规陋习进行变革性的改造，比如王蒙的《说客盈门》、高晓声的《陈奂生上城》、刘心武的《班主任》、何士光的《乡场上》、张抗抗的《夏》都隐隐地昭示着现实的变通的诉求，《说客盈门》带有“问题小说”的直白和真切，它首先感到现实的困局，期待时代的变革，是改革的潜在的呼唤。

1979年7月，蒋子龙的《乔厂长上任记》问世，改革文学就此开启，与

"伤痕文学"和"反思文学"共时发展。改革是中国社会的伟大变革，作家自然成了马前卒，文学也吹响号角。改革文学借助于改革之风点燃激情，记录下万物生长的历史瞬间。改革文学是一种对中国当代现实的发展变化做出直接回应的文学，不仅客观记录了改革的进程和艰难，也呈现出现实的种种弊端。可以说，改革文学全景式地展现了转型与改革的社会场景，并深刻地书写出中国人对于现代化的期待与渴望，以及对于纠缠于新旧之间的改革的忧与思。如果说改革是一场大戏，那么改革文学则是这场戏剧的生动的脚本，里面记录了民族心理的脉动。《乔厂长上任记》《三千万》《沉重的翅膀》《鲁班的子孙》《花园街五号》《祸起萧墙》《改革者》《燕赵悲歌》《鸡窝洼的人家》《新星》《开拓者》《彩虹坪》等都是这一时期涌现出来的优秀的改革文学作品。

改革文学带有某种倡导性和探索性，引起强烈反响的同时，也引起了争论。改革文学的开山之作《乔厂长上任记》刚发表的时候，遭到当时的天津市委的批判，是中宣部和中国作协给予了直接的干预，肯定了蒋子龙以及小说的意义。《人民日报》也登载了对《乔厂长上任记》《燕赵悲歌》等作品的肯定性评价，因此，改革文学反过来又促进了改革开放的步伐，对社会转型起到了很好的建设性作用，也有很强的介入现实生活的功能。而且，这种介入是全方位的，比如《乔厂长上任记》倡导的是工厂人事和技术革新，《沉重的翅膀》是对改革现实的书写，《彩虹坪》呼唤的是家庭联产承包责任制，《新星》关注的则是基层政治生态的改进。

改革文学之所以受到欢迎和关注，也是因为这种文学真实地展现了民族变革的热望并承载了大众的梦想，作品中改革者的形象为民族提供了可以参照甚至膜拜的偶像，契合了大众对英雄的期待心理。时代造就了英雄，也呼唤着书写英雄的文学，许多作家被时代改革的氛围所感染，陆文夫在创作《围墙》时就说他的目的就是支持改革者。也就是说改革文学的创作者与时代的步伐是休戚相关的，迎合了时代审美的"胃口"。《乔厂长上任记》中的乔光朴、《新星》中的李向南、《沉重的翅膀》中的郑子云等都是改革文学浪潮中的英雄，作家通过文本建构出一个个有魅力、能产生正向价值影响的改革者形象，这些形象受到了热烈的追捧，反过来也激励着现实改革中的类似形象的现身，因为民族的新生需要偶像的重构。

改革文学热潮四起，但那个时候的作品基本模式还是改革与保守的二元对立。随着改革进入深水区，20世纪90年代初期，河北的“三驾马车”谈歌、何申、关仁山分别写下了《大厂》《信访办主任》《大雪无乡》，这些作品是以广阔的农村和国有大中型企业为主战场，书写改革进程中的社会阵痛和突围。《大厂》是这一时期改革文学的代表作之一，此时的改革矛盾不再是简单的二元对立，而是涉及形形色色的人物，也不再是依靠个别英雄来完成改革的图景。这一时期的小说呈现出更为复杂更为交错的原生态。

20世纪90年代后期，中国的改革不断推进，改革中出现的矛盾冲突加剧，官场出现了腐败现象，改革与反腐在作家的笔下产生了一种新的联系。原先的改革派和保守派之间的冲突往往还是观念上的差异，到了20世纪90年代后，利益的冲突成为改革文学的新的焦点。柳建伟的“时代三部曲”——《北方城郭》《突出重围》《英雄时代》(1997—2000)、周梅森的“改革三部曲”——《人间正道》《天下财富》《中国制造》(1997—2001)、张平的《抉择》与《天网》(2001)、陆天明的《苍天在上》(2002)。以获得第五届茅盾文学奖的《英雄时代》为例，小说选取的是党的十五大关于国企改革、发展民营经济、政府机关机构改革等一系列政策实施之后，中国在向社会主义市场经济体制转型过程中的艰难历程以及同期人们的生存境遇。小说的选材更为广阔，人物上至省委市委，下至平凡的摊主，重点探讨了价值标准多元无序等现实问题对中国当代人命运的全方位影响。这些作品继承了改革文学的精神，又写出了改革的复杂性。到2017年出版的周梅森新作《人民的名义》，形成了新的高潮。这部小说随着同名的电视连续剧播出，成为一个热点话题。可见，反腐文学的生命力依然很旺盛，因为作品触及了改革深处的方方面面，对当下的现实场景有着深刻的描写和真实的呈现。

改革开放促进了社会的发展变化，也带来生活的急剧动荡，中国现代化的进程改变了中国社会的面貌，各个社会层面都发生了程度不同的变化，而小说家敏锐地捕捉到这些剧烈或细微的生活差异，构成了新的文学板块。

21世纪初，打工文学的出现，意味着改革开放对文学的影响从时代的层面转向对新的社会群体的关注。“打工”是改革开放以后农民进城的一个特定的方式，也是沿海地区最为常见的生存状态。“打工文学”这个定义虽然缺少严密的界定，也经历了一个从模糊到清晰、从边缘到中心的过程。在后来“窄化”的过程中界定为“主要创作者和题材内容集中在打工者中”，也就是说打工文学主要是打工者写的文学，同时也是写打工者的文学。打工文学拓展了文学的题材写作领域，也打破了传统的文学生产模式，是一种典型的“我写，写我，我看”的模式，门槛低，互动性强，而且是真正的接地气。打工者最早出现于广东省部分地区与长江三角洲一带，他们除了物质生活上的要求之外，还有着强烈的对城市生活方式的渴望，以及对精神生活的追求。后来随着年轻作家王十月、诗人郑小琼等人的作品的问世，打工文学在艺术上逐渐成熟，得到了更多的认可。王十月的《无碑》《烦躁不安》《31 区》等长篇都具有强烈的批判意识和命运之痛，是打工文学中的代表作品。

比之打工文学，更有历史感和生命力的是都市文学的兴起，也是改革开放之后才出现的。1994 年 6 月，《钟山》杂志和德国歌德学院北京分院在南京召开了城市文学研讨会，这是迄今为止第一次大规模的关于城市文学的研讨。这个研讨会非常有意味——对中国城市文学的热情研讨却是由外国的一个文化传播机构参与，意味着中国的城市化进程已经引起了世界的关注。在 20 世纪 30 年代中国文学曾经出现过写城市的风潮，当时有新感觉派的“生与色”的书写，有茅盾的社会剖析的《子夜》书写；40 年代则有张爱玲的传奇式书写。改革开放以来，城市的书写逐渐显现出来，到了 90 年代则有王安忆的《长恨歌》，前几年还有金宇澄的《繁花》，这些都是描写都市的经典作品。现在年青一代对于城市的书写，已经从城市外在的变化的描写转向了对中产阶级或准中产阶级焦虑的表达。之前对题材的分类，比如“工业题材”“农业题材”“军事题材”，则显得苍白无力。

这些新的小说板块的出现，打破原先乡土小说一统天下的格局，另外乡土小说在近年来也出现“再书写”的转机。“再书写”的一个特征体现在对农民精神家园失落的描写，写回不去的无归宿的苦楚。在 20 世纪 70 年代末期，高晓声的一篇《陈奂生上城》，拉开农民进城的序幕。这序幕是进城小说的序幕，也是生活中中国农民进城的序幕。进入 21 世纪之后，农村城镇化的推进，加深了乡村文明的变迁和动荡。乡村文明的挽歌在作家的笔下缓缓地流了出来。“再书写”的另一个特征就是对家园的告别之后的回望，回望之后的回不去的喟叹。莫言小说中的“恋乡”和“怨乡”，曾打动无数读者。近些年来，大量的小说以“故乡”“还乡”为书写的主题，和 20 世纪八九十年代的那场“进城”（打工潮）遥相呼应，这从另一个维度表达了改革开放之后人们心灵的波澜。

“文变”：小说观念的开放与更新

今天我们看待各种各样的小说形态，并不会诧异，但是当初文学界曾经为“三无小说”产生一番不小的争论。“三无小说”指“无情节”“无人物”“无主题”的带有实验性的作品，常常和意识流小说形态相关。而今天，这类“三无小说”显然没有发展成主流，更多的小说还是充满现实主义精神的“三有”之作；这种充满主观情绪的小说出现了，也不会再有人大惊失色去指责。这说明小说观念已经从单一的定于一尊的某种小说模式走向了多元的开放的小说价值观。当然，这种价值观的形成也是经过了反反复复的过程。

“欲新一国之民，不可不先新一国之小说。”梁启超提出的小说观使小说的地位得到跃升。改革开放后，与小说观流变相伴的是小说地位的不断变化。1978 年 12 月改革开放拉开大幕，伤痕文学、反思文学以人道主义反抗“极左”思想，小说获得极强轰动效应。1984 年之后，在“文本自身建设”的小说观下，先锋小说大量涌现，疏离、解构传统叙事模式。小说观出现分化：伤痕、反思、改革小说创作和政治关系紧密，寻根、先锋、新写实小说等则指向文化和审美。前者注重意识形态导向及社会效应，后者强调文学的审美、拥抱个性、自由。1988 年，王蒙发表了《文学：失去轰动效应之后》，文章揭示了在社会开放、作家分化、“严肃文学”或“纯文学”被边缘化等大趋势面前文学界的反思和期望。经历“文本自身建设”的“先锋”浪潮后，在冷寂中中国作家的小说观继续完善。20 世纪 90 年代后期，先锋作家开始回归现实主义传统，新写实小说家持续开疆辟土，各种流派的小说观多元并存。21 世纪，在商业社会背景下，“主旨在娱”的小说观与互联网新传媒联姻，网络小说大行其道；一种将生存法则、行业潜规则植入小说的类型小说，受到大众的热捧。纯文学与网络文学、类型小说的分野，是精英与草根的小说观的分野，也是一次回归或是小说观念的再度更新。

小说观念的变革来自国门的打开。纵观中国改革开放的历史，最早“开放”的是文学艺术。20 世纪 70 年代末期，大量西方现代主义文学就陆陆续续翻译出版，这是现代主义在中国的第二次登陆（20 世纪 20 年代，新文学诞生之后不久，“现代主义”就登陆中国，但之后随着历史风云的变化，启蒙和救亡的双重奏，“现代主义”渐渐消隐，甚至成了资产阶级文艺“颓废派”的别名）。改革开放后，西方小说观念重新成为小说家创作的理论资源，1978 年朱虹在《世界文学》的第 2 期上发表了《荒诞派戏剧述评》。从 1979 年初开始，袁可嘉、陈焜、柳鸣九、赵毅衡、高行健、孙坤荣、陈光孚等人就相继发表文章介绍现代派文学的状况，1980 年袁可嘉、郑克鲁等编选《外国现代派文学作品选》（八卷本）出版。这一系列的动作为高行健《现代小说技巧初探》（1981 年由花城出版社出版）的到来积攒下了人气。

1979 年至 20 世纪 80 年代初，王蒙的《春之声》等一系列小说，茹志鹃的《剪辑错了的故事》，宗璞的《我是谁》等都不约而同地显示出“意识流”的痕迹。1982 年，冯骥才、李陀、刘心武、王蒙四人所写的信，被称为“四只小风筝”。冯骥才大声疾呼“中国文学需要‘现代派’”。据洪子诚先生统计，1978 年到 1982 年短短五年间，全国主要报刊登载的译介、评述、讨论现代派文学的文章，约有四百余篇。1984 年和 1985 年“走向未来丛书”和“面向世界丛书”“现代西方学术文库”等译作蜂拥而至。1987 年《收获》第五期“先锋作品专号”，余华、苏童、格非、马原、孙甘露等“先锋作家”集体登场。90 年代后，作家“文本意识”普遍增强，不少声名显赫的中国小说家，身后是一个或一批外国小说大师的影子。痛定思痛，小说家开始反思。这种回流场景出现在 1985 年，当时一些年轻的作家在受到拉美魔幻现实主义的冲击之后，有意避开西方文学的路径。路径依赖，是当代小说家创作的一个瓶颈。每个成功的小说家背后，都站着一个西方的大师。

寻根文学的初衷是为了及早地摆脱西方文学现代派的路径，但是由于自身文化的限制，寻根变成了理论的探索而不是小说的探索。“根”最后被一些作家简单地理解为生命的蛮荒和生理的本能，或者理解为文化的原初的形态，一些民俗和伪民俗被当作小说的本质充斥到小说里。脱离现实，逃避人生，一味追求小说的异域风光和蛮荒景观。寻根文学最后景观化的展示，经历了短暂的热闹之后很快退潮。“新写实”小说的兴起，在否定之否定之后，1988 年《文学评论》和《钟山》联合召开的“新写实与先锋派”的会议，现在看来是一次转折。重新认识现实主义，当然也重新认识现代派，影响深远。

中国小说家接受全球文学潮流的冲击和影响，小说观念获得前所未有的变异和发展，格局从封闭走向开放，从单一走向多样。小说“开放”随着“改革”深入，最终产生一种“文化回流”，世界文学潮流冲击中国，也增强了我们的文化自信。接受“现代主义”而保有中国本色的小说家汪曾祺，其价值因此而被重估。独特的中国文化令《红高粱》《白鹿原》《长恨歌》《尘埃落定》等现实主义为主要创作方法的长篇巨制大放异彩，中国作家的文化自信得以迅速增强，这是对文化寻根的一次否定之否定，“开放”之后中国小说回归到民族本土。

硕果：小说探索的深化与优化

人物的塑造。改革开放40年的文学创作，硕果累累，尤其在小说创作方面，塑造了一大批我们耳熟能详的典型人物，如陈奂生、香雪、高加林、巧珍、乔光朴、李向南、倪吾诚、章永璘、许三观、福贵、张大民等，还有王朔笔下的顽主、姜戎笔下的“狼”，都与五四新文学的阿Q、祥林嫂、吴荪甫、老通宝、骆驼祥子以及红色经典里的小二黑、老忠、林道静、梁三老汉等成为新文学人物画廊中的标志性人物。这些人物的生命力旺盛，至今还常被人们提及。

这一时期的小说摆脱之前的“高大全”模式，写出了人物性格的丰富性和多样性。改革开放之前的小说曾大量出现福斯特所说的“扁形人物”，这类人物是漫画性的，人物某一方面的特点被突出甚至被夸张，形象变得特别简单粗糙。而我们上述说到的人物，不再是简单的概念化的人物，而是透露着生活地气的“圆形人物”，人物性格具有成长性和复杂性。他们都堪称典型环境中的典型人物。

另外，由于小说观念的嬗变，人物也不再是衡量小说成败的唯一标准。改革开放后，在新的小说观的影响下，人物和故事不再是两张皮，而是产生融合，二者不可分，互为表里。一部分小说家的小说变得尤为注重审美意趣、文化意蕴，他们重返五四时期“现代主义”所开创的小说传统，返回以意境营造为核心的叙事传统，一些小说家淡化了故事情节也消减了人物形象塑造，成为一种被称之为“散文化的小说”。王蒙一方面塑造了鲜活的人物，另一方面则着力于意境、意象这些非人物塑造的尝试，《春之声》《夜的眼》《风筝飘带》《杂色》蔚然领风气之先。近些年来，王安忆发表的小说《闪灵》等短篇小说非常像随笔作品，而迟子建发表的小说《候鸟的勇敢》在人物形象塑造上也表现得漫不经心，这或许是中国作家对法国新小说“去人物化”写作的某种尝试性呼应。

叙述的创新。小说作为叙述的艺术，经历了说书人模式到现代小说叙述模式的巨大转变。以叙事学的角度考察叙事模式的更新，可以通过叙事时间（故事发生的时间和讲述故事的时间）、叙事视角（限制视角、全知视角、纯客观视角）、叙事组织（人物关系、事件关系、语义关系）来进行。改革开放以来，小说最大的变化在于叙述形态的多样化，之前的小说叙事基本限于全知全能模式和第一人称“我”的叙述模式，前者如梁斌的《红旗谱》，后者如杨沫的《青春之歌》，《青春之歌》用林道静的视角来叙述故事，实际是潜在的第一人称。而王蒙的《杂色》以马的视角来叙述，莫言的《红高粱》采用“我爷爷”这样超时空的叙述人视角，方方《风景》采用亡婴的视角，都是改革开放之后才有可能出现的“机智叙述”。这些叙述的尝试也成为后来小说的模板，为更多的后来者所采用或借鉴。

成功的小说叙事来自富有个性的叙述语言。在19世纪和20世纪之交，西方发生了“语言论转向”，波及整个人文学科，“人开始在语言中思考”，并开始对人的理性和人的经验的可靠性产生质疑。程光炜说道：“一定程度也可以说，80年代知识转型的整个过程都构成了一种重写‘语言’的思潮。”在80年代中期以前的中国当代小说中，书写社会、生活、人生是焦点，语言只是作为“形式”，一种表达的工具。随着西方形式批评理论的引进，中国小说也开始走向对文学本体的探索，开始关注语言、叙事及文体的存在，语言的独立性和重要性开始凸显。王蒙的作品先于西方理论资源而显现出政治性话语向个人心理话语的转移。高行健在谈到王蒙的《杂色》时说：“新词、新的句法自然而然地从他笔下流泻出来，明快、流畅，而又新鲜。”高行健较早认识到了语言的重要性，1981年他在《现代小说技巧初探》专门谈语言：“在小说创作中，作者自然把更多的注意力放在寻找一种能取得读者信任的叙述语言上。这就是在现代小说中为什么那样注意讲究叙述语言的缘故。正因为如此，也才出现一种极端的说法：风格即语言。”汪曾祺的《受戒》《大淖纪事》等作品在当时是非常独特的，虽然与当时的现实语境和流行话语有些隔膜，但汪曾祺通过独特的具有古典韵味与民间文化情怀的语言呈现出具有自己风格的文学作品。重要的是，他的风韵引领了一种关注语言的风尚。当然，汪曾祺也同样具有理论上的自觉意识，比如他在 1983 年也明确地说道："写小说就是写语言。"1985 年青年批评家黄子平提出"得意莫忘言"的说法，他呼吁"不要到语言'后面'去寻找本来就存在于语言之中的线索"；希望能还语言以本体的位置，把它从工具论中解放出来。80 年代中期，《你别无选择》《透明的红萝卜》《小鲍庄》《冈底斯的诱惑》等大量充满陌生气息的作品登场，小说创作出现了大面积的异动现象。新的理论和王蒙、汪曾祺、莫言们的创作实践，让中国作家对小说叙述有了新认识，促成了小说叙述的丰富和更新。从 20 世纪 80 年代持续到 21 世纪初，作家考虑从"写什么"内容到"怎么写"的转移，生动见证了小说形式所受到的重视，也改变了语言的工具论地位与"风格学"的范畴，使之上升为叙述的本体。

写实的优化。虽然 40 年小说五彩缤纷，创新频频，但取得成就最高的还是写实主义的小说。虽然 40 年间那些名目繁多的形式创新让写实主义的小说显得有些苍老，但繁华落尽，沉淀下来的好作品依然是那些具有强烈写实精神的作品。《小说选刊》最近和中国小说学会联合举办的"改革开放 40 年 40 部最有影响力的小说"评选活动中，入选的 40 部作品几乎全是《白鹿原》《长恨歌》这样的写实性作品，连余华、苏童、格非这样标签明显的"先锋派"入选的《活着》《妻妾成群》和《望春风》也是写实性的作品，而不是实验性强的《在细雨中呼喊》《1934 年的逃亡》和《青黄》。先锋作家的转型，也再次证明了写实主义持久的生命力，形式主义是有限的，而写实主义是无限的。

但今天的写实小说和之前的现实主义有着巨大的变化，那就是融进了现代主义甚至后现代主义的很多元素，尤其在叙述主体方面显得更为"写实"。陈平原在《中国小说叙事模式的转变》中肯定了五四时期现代主义作家对叙事时间的自如运用，但他在考察叙事视角的运用时，发现只有鲁迅和凌淑华曾以纯客观叙事写过小说。1953 年，罗兰·巴特发表了一篇文章《写作的零度》，"零度写作"指作者在文章中不掺杂任何个人的想法，完全是机械地陈述或描述，也就是零度叙事。改革开放后，作家们迅速系统掌握了这项叙事技术，余华的处女作《十八岁出门远行》以细致的描写替代了故事的讲述，像摄像机一样记录一个少年的远行，读者几乎是通过他以文学描述出来的画面、人物动作，观看了一个故事。笔者曾在《近期小说的后现实主义倾向》一文中将"新写实"的特色概括为"还原生活、零度写作、与读者对话"等。纯客观叙事随着时间的推移，越来越受到作家们青睐。如果从叙事组织来考察，不难发现两种极端，人物关系、事件关系在改革开放之后变得要么更为疏离，要么更为紧密。一部小说的组织模式可以分为两个层面：显性的组织，隐含的价值。人物关系、事件关系的疏离处理，可以带来更强的审美效果——小说在审美层面，是作家与读者展开的一场隐秘的对话，疏离产生更强烈的审美张力，这是对隐含的价值的追求；人物关系、事件关系的紧密处理，常常表现为人物身份的立体化，立体身份产生立体的人物关系，它们合力产生强劲的推动力，使小说显性的组织富有质感，让人物和事件产生复杂而丰富的意义。如果谈论语义关系，我们不能忽视语言自身的生殖能力。语言依靠逻辑、语感，可以自行在文本中生长，中国的诗人精于此道，诗人通过语言自身的繁殖，确保文本的自足性。

这里不得不说风靡文坛多年的"新写实小说"。20 世纪 80 年代末至 90 年代初，方方的《风景》，池莉的《烦恼人生》，王安忆的《小鲍庄》，李锐的《厚土》，刘恒的《伏羲伏羲》，余华的《河边的错误》《现实一种》，刘震云的《塔铺》，朱苏进的《第三只眼》等小说超越了现实主义和现代主义的既有范畴，既体现出了对西方文学流派的借鉴，同时也显现出了对中国小说传统的继承和回归，被命名为新写实小说。

新写实小说在今天来看，是现实主义在中国踏出的坚实脚印，它为先锋文学的落地和转向提供了强有力的支撑。1985 年前后，先锋文学如火如荼，马原、余华、苏童、叶兆言登上文坛，以独特的话语方式进行小说文体形式的实验。毋庸置疑，先锋文学是中国当代文学进程中一个重要的文学现象。从肇始之初的"先锋实验小说"到后来的"返璞归真"，先锋派的作家们走出了一条饶有意味的文学创作之路。《米》《妻妾成群》《活着》《许三观卖血记》等小说的发表，意味着先锋作家减弱了形式实验和文本游戏，开始关注人物命运，并以较为平实的语言对人类的生存和灵魂进行感悟，现实深度和人性关注又重归文本。

先锋的转型反过来又影响到原先比较写实的作家，像陈忠实、刘恒、刘震云、阎连科等原本是非常写实的叙述，之后融进了一些新的叙述理念，用一种客观的、没有任何主观意向的叙述语调，将生活原生态进行了还原，因而，小说没有价值观的导向，没有爱憎，人物既不崇高，也不卑贱，他们只是本色地活着，存在着。新写实小说不按照某种理想来选取生活现象，也就无须突出什么、回避什么、掩饰什么，正是这种客观还原和零度叙述，使得小说具有了作者和读者“对话”的可能。

“新写实”之后被放大，被泛化，不论是90年代出现的刘恒的《贫嘴张大民的幸福生活》、刘震云的《一地鸡毛》还是今天马金莲的《长河》、石一枫的《世间已无陈金芳》，无论是90年代的《长恨歌》还是今天的《繁花》，我们可以看出作者叙述语调的平和和冷静，可以看出小说叙述者叙述态度的一脉相承。

或许这正是一种中国特色的现实主义写作，既不同于福楼拜的自然主义倾向的现实主义，也有别于巴尔扎克的批判现实主义，同时也区别于苏联的革命现实主义，更不是法国“新小说派”物化的现实主义，而是融合中国现实精神和传统文化内蕴的新写实精神。同时又是开放的现实主义，对外来的小说精华大胆地拿来。这是开放的小说硕果。

2018年11月1日定稿

目录

contents

为兄弟国瑞善后

尤凤伟

《为兄弟国瑞善后》以悲悯的人文情怀和深刻的生命体验，通过讲述乡村小学教师于国祥为死刑犯弟弟善后——到大舅、二姨和大姑父家还钱的故事，细致入微地描写并剖解着纠结了亲情、伦理、欲望、道德、羞辱、灵魂撕扯和自我质疑等复杂矛盾的人物行为及其背后的隐痛，看似单纯的情节在顺序推进中不断横向宕开关于“我”和弟弟、“我”和蝎王、“我”和老哑巴等人的过往场景和细节，勾连起乡村丰富的社会现实人生。文字生动鲜活富有表现力，具有体恤人性认知和命运的沉静和宽厚。

李掖平

《人民文学》1998年7期

出门的时候国祥的女人问句：黑下回家吃饭吗？他说那得看跑完三个村到什么时候了。他想了想又说也许吧，中午前赶到李家高岗，在大舅家吃饭，再去埠后村二姨家，不呆下，再赶到大苇子大姑夫家，要是日头不落山，就赶回来吃饭。女人说身上带那么多钱，路上千万小心啊。他烦烦地说知道了，你说过不止一百遍了，说毕推车就走，省得再听到女人没完没了的啰唆。

出了村头，满眼映进碧绿田野和青色山脉，春天的暖意阵阵扑面，国祥深深嘘了口气，他觉得一直紧揪着的心有些放开了，自从兄弟国瑞死后他的心就一直紧揪着，就像被一根细麻绳捆绑着，勒得很疼，透不过气来。他走的是一条不达国道级别的平直大道，白沙路面保养得很好。隔一段时间便会看见一个养路人拖着沉重的胶皮耙子走在路中央，留在后面的路面就像被梳过一般。这条路有路经李家高岗的客车，一趟公家“大客”，两趟个体“小客”。以前每回去舅舅家他都是花三块钱坐公家“大客”，半个小时的路程。今天因为从李家高岗要去不通汽车的埠后村，他就只能骑车了。自行车长久闲置，锈得厉害，骑上嘎吱嘎吱作响。

在殿后村后他碰见从前的学生苗家起骑车从村里出来，车后座高耸着一摞五色布匹。看见他苗家起忙不迭地跳下车，又恭敬又亲热地叫声于老师。国祥也下了车子，问苗家起是不是去赶上庄集。苗家起说是。他说苗家起你赶集去这么晚不耽误生意吗？苗家起用戴手套的手揉鼻子，囔声说去早去晚都没啥生意的，反正闲着也是闲着，溜达一趟是了。他说也是的，如今什么生意都不好做。这时苗家起似乎犹豫了一下，小心翼翼问道：于老师……国瑞的案子……咋样了呢？他说国瑞死了。死了？苗家起瞪圆了眼，一脸的恐惧，说咋这么快，从抓到现在不是才两个来月吗？他说时候不好，从重从严从快。苗家起不再说什么了，脸上还残留着惊恐不定的神色。他说苗家起你走吧苗家起点点头说老师想开点儿啊。他“嗯”了声，上了车子。

国祥适才刚放松的心遇见苗家起又揪紧起来，他不由在心里骂道你个混账国瑞是自作自受哩，一向是鼠胆，咋刚进城就作起了大孽呢。盗窃文物你不知道这是犯大罪的吗？自从兄弟犯事，这话他不知在心里骂过多少回了，骂过之后眼就湿了。现在他的眼也同样湿了，眼前白茫茫的一片雾，他怕车子翻到路边，赶紧抬手抹抹眼。

此刻他是极不想再碰见熟人的了，一个月来兄弟的案子成了头号新闻，虽然人关在城里，各种传闻却在乡里四处奔走。乡间人说话多不存忌讳，见了面就问来问去，打破砂锅问到底。当然也会说几句安慰同情的话，可……嗨，现如今安慰也属多余的了，案子结了人死了。他还在想怎样避免与熟人见面的问题。他的熟人太多，他教完小多年，学生遍布这一带乡村，何况还有学生家长以及其他形形色色认识的人。他不知怎么竟想到西方电影里的蒙面人，他觉得可以效仿，就跳下车，从口袋掏出手绢系在两眼以下鼻子耳朵以上的位置，虽然没镜子照他也知道自己成了副什么模样。他上了车子继续赶路，迎面相逢的人都无一例外地将目光盯着他看，是那种看怪物出动的神情。他想没准真的会让人把他往蒙面强盗方面想呢。可他顾不了许多，只管低头往前蹬车。

快到李家高岗村头国祥跳下了车，他抬头看看天，日头已被云彩遮拦，看不出是什么时辰。他从脸上把手绢扯下来，这时一辆拖拉机从村街突突着黑烟奔过来。真是越怕什么越来什么，尽管他已侧向路边做出解腰带撒尿的架势，他还是听到“是于国祥老师啊”的呼唤，随之是马达熄火的声音。他无奈地转过身来，认出驾驶座上的人是李家高岗前任村主任李旗。李旗曾和他一起教过书，因有个当村委主任的机会，他便弃教回村，不料几年后改选时落选。从此官职教职两空，成了农民。虽然这样每回相见国祥还是称他李老师。此刻他问李旗道：李老师你去哪儿呢？李旗说去龙泉汤拉肥料。果如他所担心的那样，曾为人师的李旗说话也像一般庄稼人那般直来直去，他问：老于你兄弟的案子有头绪了吗？他将眼光从李旗身上移开，望着田野，说人已死了。枪毙了？！李旗惊讶：不是听说那个保安人员被抢救过来了吗？他说是抢救过来了，一条胳膊残废了。李旗说人没死就算不上命案嘛，咋这样判？他说谁知道呢。他又说听说盗窃文物有死罪的。李旗又说：再说国瑞也不是首犯啊，他不是在别人的撺弄下干的吗？他看着李旗几乎用哀求的声调说：老李别说这个了行吗？这时李旗才意识到自己的疏忽，忙说，好，不说了不说了，嗨，人都死了还有什么说的呢。过会儿又说老于中午在我家吃饭吧，我一会儿就回来。国祥说他不能在这里久待，还得赶去埠后办事。李旗点点头，说那就以后吧，你现在哪还有别的心思？想开点吧老于，对兄弟你也算尽到心了，这个大伙儿都知道。国祥叹口气，说：爹妈都不在了，兄弟的事我这个当哥的又能推给谁呢？李旗说就是。国祥说你走吧老李。李旗说你走吧老于。就都走了。拖拉机腚后的黑烟遮挡了国祥的视线。

舅舅家住在村头，国祥从外面扯一下门栓绳，然后提起自行车用车轱辘把门扇推开，之后就连人带车进到院子。这时舅舅应声从正屋出来，不先向他说话倒先朝隔墙的西院吆一声先锋。进到屋里一会儿，表弟先锋就过来了，穿一身蓝西服。先锋也确实称得上先锋，他是乡村里从老辈子起头一拨穿西服的人，国祥是不穿西服的，可每当看到穿西服的农民他都会想社会确实是前进了。先锋的先锋性还体现在他的经济头脑上，他也是农村里头一拨丢下锄头干实业的人。他一直做饲料生意，也不隐瞒自己赚了钱。这遭为国瑞的事儿他很痛快地出借了一个大数。富了还没忘亲戚情分，这一点让国祥感动。先锋说国祥哥来了？他点点头，说先锋又耽误你的工作了。先锋说哥可别这么说。关于国瑞已死的消息，前几天他在城里已给先锋打过电话，正因为如此见面后舅舅和先锋都没提国瑞的事儿，而内心的悲伤是心照不宣的。国祥问过先锋几句生意上的事儿，便抠抠搜搜从怀里掏出一个厚厚的纸包，双手递给先锋，声音发颤地说：钱虽没用上也替国瑞谢你了先锋。先锋接过钱擎在手里，紧盯着他问：国祥哥钱咋没使上呢？他说晚了。先锋问晚了？他说是晚了。先锋将砖头样的钱捆丢在炕上，说不信案子能结得这般快。舅舅说老辈子都是秋后处斩——先锋抢白说爹干吗还提那老皇历呢？舅舅就不吭声了，他和先锋也沉默起来，所有的话都卡在嗓子眼里出不来。事情到了这一步就真的是无话可说了。过了许久先锋说国祥哥到西院去吧，爹也过去，丽华正在弄吃的，国祥却摇了摇头。本来是打算在这里吃午饭的，可刚才在村头回绝了李旗，留下来让李旗知道就显得自己不实诚。再说他也不觉得饿。先锋说国祥哥你得吃饭，不吃饭不行啊。舅舅也留他，说天塌下来也得吃饭。他说还有几个地方要跑，天还不晌，到二姨家吃晌饭合适。

先锋不无成见地说我可从不在二姑家吃饭。他没说什么。先锋和舅舅见他执意要走，只好作罢。到了院子推起自行车，这时先锋问道：国祥哥，要不要我给国瑞兄弟扎点什么？他想想说：不麻烦你了先锋，该扎的东西我一便儿扎吧。先锋说：咱村就有一个扎匠，很便当的。舅舅说就叫先锋扎一点吧，多了比少了好，国瑞他干混账事儿不就是为置办结婚“大件”吗？人死了打发他个满足吧。国祥不语，觉得眼前又升起一团白雾。只听先锋说道：要不我扎台彩电再配上台 VCD 吧。国祥说那谢你了，说毕推起车子趺趺撞撞地出了门。

从李家高岗去埠后是山路，由于没专人保养，路面很糟，永远都有两条深陷下去的车辙蜿蜒向前。这条路是国祥的一条熟路，从记事起每年正月都带着兄弟从这条路上走亲戚。他挎着装饽饽的篮子，兄弟甩着两手跟在他腚后，跟屁虫似的。那时候他觉得这条路很漫长，很见走，怎么走都不到，其实也就十几里的路程。成人后兄弟俩就骑车走亲戚了，路途一下子就缩短了。三蹬两蹬就从家到了舅舅家，再三蹬两蹬又从舅舅家到了二姨家。此刻过这段路国祥没有蒙面，也用不着蒙，这一带村子的小孩子不在他教书的完小上学，他不用担心碰上熟人。在一个叫石硼沟的地方他跳下车。

石硼沟的得名无疑是因为山夼对着的路边耸着一块天然巨石。从李家高岗去埠后走到石硼沟正是一半的路程。国祥把车子支在石硼边儿上，锁上。他没有往石硼上攀登，只是抬头往上望了一眼，然后沿山夼向山上去。山夼里布满大大小小的石头，没有水。还不到雨季。雨季里有山洪滚滚而下。大约走了十几分钟，山夼边上的一座院落出现在面前，那是一座很有名气的蝎子养殖场，也正是他借这次还钱的机会要去的地方。在春节之前他曾与兄弟商量，凑点本钱办个家庭养蝎场。可兄弟不感兴趣，执意要去城里挣钱。现在兄弟已死，可他办养蝎场的心没死。国祥走到养蝎场房前，抬手敲了敲门。开门的是一个长疤瘌眼儿四十几岁的汉子。他知道这就是远近闻名的“蝎王”。他向蝎王说了来向他请教的意思。蝎王说进来吧，他就跟进了院子。从见到蝎王起他便满脸堆笑，生怕对这位名人恭敬得不够。到了院子又赶紧从口袋里掏出一盒烟，抽出一枝向蝎王献上。蝎王接过，抬手夹在耳朵上。国祥看出蝎王没有要吸的意思，已抓住打火机的手在口袋里悄悄松开。蝎王一开口便说到了正题，问国祥是不是想向养蝎业发展。国祥赶紧点头称是。蝎王说现在想向他学习取经的人很多，可他发明的养蝎新技术正在申请专利。国祥赶紧说他可以付费。蝎王疤瘌眼儿一下一下地眨巴，说现在已不是单单出售技术的时代了，要搞就搞连锁场。国祥对“连锁”这个字眼并不陌生，对其中的意思也知个大概。他问蝎王咋样连锁。蝎王说我总场出技术你分场养殖，利润分成。国祥说合理。蝎王说你考虑一下想干今天就可以签合同。国祥说今天不行，得回去跟老婆说说。蝎王讥讽地瞧他一眼。他赶紧解释说未来的养蝎场不是他干是老婆干。蝎王问这次要不要参观一下。他说要参观。养蝎子的地方在屋后，若干蝎子坑一字排开。还没走到近前，国祥便听到一片窸窸窣窣的声音。蝎王将他带到一个坑前，指指说这批货品已可以推向市场。他打眼向坑内看去，开初只看到坑里一片黑，像堆集着满满一坑羊粪，而当眼里有了分辨，他就看清楚那是成千上万只蝎子在上下翻搅攒动，名副其实的毒虫堆。他不由打了个寒噤，一股冷气顺着脊背向后脑勺上蹿。从本质上说他不是个胆小的人，平时见了蝎子、蛇之类的毒虫也怕不到哪里去，可眼前这毒虫大积聚的景象实在令人毛骨悚然。这一刻他晓得自己不会再与蝎王签什么合同了，哪怕他无偿提供新技术，他也不会在养蝎业上图发展。即使他能习惯与那些毒虫打交道，而他那个小胆气连老鼠都怕的女人是万万不行的，她会被眼前这样可怕的景象吓出神经病来。他客气地向蝎王道了别，为了不扫蝎王的兴他说改日再来。直到骑上车子再登路程，国祥仍然惊魂未定。他的心情极坏，这坏心情一直持续到走进二姨夫所在的村庄才稍稍得到改善。

进门看到二姨夫一家人在吃饭，他知道到晌午了。看见他手端酒盅的二姨夫即问：国祥你吃饭了吗？他顺口说吃了。无论如何他是不想在二姨夫家吃饭的。二姨不信，说这时候哪会吃饭呢，快坐下一块儿吃。他说他在舅舅家吃过饭赶来的。就不再说吃饭的事。就问起国瑞的案子。尽管他一句话就能回答，但他不想在人家吃饭时报出个凶信儿。这无益。他说等吃过饭再说吧。

看别人又香又甜地吃饭他依然没有胃口，到现在那一团团毒物还不时蠕动在眼前。他努力做到不去想。围桌吃饭的除了二姨和二姨夫还有表弟媳妇和两个女孩。表弟在县啤酒厂工作，不属在家吃饭的人。对农村生活而言，二姨夫家的饭菜是颇为丰盛的，二姨夫的革命小酒不是天天醉而是顿顿醉。他是从县商业局副局长任上离休的。国祥一直对二姨夫的印象不佳。上次来借钱二姨夫打官腔说往案子里使钱是不正之风，不能犯这个错误。当二姨坚持要借他又提出存折只差半个月到期，现在提款利息全瞎了。无奈只有等。兄弟死后他对二姨夫一直耿耿于怀，他甚至觉得就是为等这份钱才耽误了兄弟的命。此刻见二姨夫一盅接一盅往嗓子眼里倒酒，他脑子里就跳出这四个字：为富不仁。

好容易等到吃完了饭，表弟的两个女孩去学校了，表弟媳妇将碗筷收拾下去，屋里只剩下二姨和二姨夫。涨红着脸的二姨夫边剔牙边问案子的情况。他说国瑞死了。二姨夫稍微愣了一下，以早有所料般的神情说我说过使钱是没有用处的，这不人财两空了嘛！国祥说没使上钱。二姨夫问钱没往上使？国祥点点头，说晚了，晚了。他故意将晚了两个字说得很重，像要把这两个字当成两颗铅弹往二姨夫身上射，以发泄内心的愤懑。这期间二姨一直怔怔的，好像没明白到底出了什么事，后来"哇"的一声哭号起来，眼泪鼻涕一把一把抓，很伤心。国祥知道二姨的悲伤是发自内心的，她一直是很亲国瑞的。他劝了二姨几句，便从怀里掏出同样报纸包着的钱，搁在二姨夫的身前。二姨夫拿起钱正要解包清点，又似乎意识到这般不妥，便讪讪地放下。国祥觉得他可以走了。就起身说他要走了。生活中许多事情往往是雷同的，同样是走到院子时两眼红红的二姨提出要为国瑞扎几样"大件"。二姨夫听了也附声说扎。如果是单冲着二姨夫，他也就回绝了，可对于二姨，他不忍有悖她的真挚亲情，伤她的心。他说别的都有了，要扎就扎台洗衣机吧。走出二姨家，国祥眼前又是白茫茫的一片。他心里想的是若是以后哪天自己犯了死罪，是绝不允许女人到二姨夫这里借钱的。

出了埠后村他看出天阴得重了，天地间明显地黑了许多，风里夹杂着冰冷的雨星。也许雨就要下了。整个春季都是坏天气，雪雨不断，再不就是湿漉漉的雾气。报纸上说是受厄尔尼诺现象的影响。有一次学生问他什么是厄尔尼诺现象，把他问住了。一般说来坏天气不会对他这个教书匠有什么影响，但今年是个例外，为弟弟国瑞的事他一直在坏天气里奔波，包括为国瑞善后的此刻。

由于已将两份大钱归还于人，他感到心里轻松了许多。想到再过一会儿他就会把今天要还的最后一份钱送到大姑夫手里，就有一种如释重负的感觉。另外他还有一种缱绻之意，他是从内心里感激大姑夫的。大姑去世多年，按说在这种情况下亲情会相对疏淡。可大姑夫是个很厚道的人，他知道大姑夫的家境不富裕，借钱的事没去找他，钱是大姑夫闻知消息自己送上门的。尽管钱数不多，但他是很感激的。此刻，轻松心情转而又让他往善后的事上想，他首先想到的是能否为弟弟结门冥亲，让弟弟在冥世里不是孤身一人。但这想法只一转便被他否定了：弟弟犯的大罪，又死得凶险，哪个逝女的家人肯和这样的死鬼结冥亲？想结冥亲也难哩。想到这，一抹悲凉又升上心头，他重重地叹了一口气。

这一带的道路高低不平，一个山岭连着一个山岭，他骑车下得一个大坡，便看到道路左侧有一片茫茫水面，那是赵家夼水库。水库阴沉沉的水面与阴沉沉的天空在远处连成一片。疾速行驶的国祥突然手脚并用刹住车子，下车后他将车子支在路边，然后沿一条几乎被野草覆盖的路径向水库边走去。一会儿工夫他的鞋和裤脚都湿了，凉凉的使他感到很难受。他后悔没从两块麦地之间的田垄上走。不知怎的这时他想起那句“常在河边走哪能不湿鞋”的俗语。他知道已经湿了鞋就无须顾及什么了，大踏步地从草丛中间穿过。他看见远处一个男孩子挥舞着刀割青草，那是喜在水边生长又喜被牲口吃的青葱的芦苇。他朝割草的孩子喊声喂。小孩停下镰刀朝他观望。他问道：养鱼的还是那老哑巴吗？小孩子不答。他再抬高声音问：养鱼的还是那个老哑巴吗？小孩这遭听见了，他说是老哑巴。接着又问句：你找老哑巴干啥呢？他说有事。心里却想咋连小孩子什么事都要打破砂锅问到底呢？他匆匆向前走了，快到水库边儿已经没有麦地了，两边全是半人高的芦苇，看到芦苇那蓬勃向上的长势会使人感到生命是如此昂扬而不忍砍割，而事实上这种砍割从未幸免。愈走近水边水气便愈加浓重，散出一股淡淡的腥味，是鱼腥味儿。他终于走出了芦苇丛，刚才被两道苇墙遮成窄窄一溜的水面迅即向两边扩展开，又变成茫茫的一片了。不知怎么这片无声的大水突然使他生出一种畏惧，这瞬间他感到自己是站在天涯海角，孤立无助。他缩回眼光，看到了搭在水边高处的一座低矮草棚——养鱼人老哑巴的领地。草棚孤零零屹立水边，破烂不堪一无生气。不见老哑巴的身影。他朝草棚走过去，边走边吆：有人没有？没有应声。他再喊，还没应声。这时他一下子意识到自己的荒谬：那养鱼人是个又聋又哑的正宗聋哑人，喊破嗓子他也是听不见的。他走到草棚门前，抬手敲门，没人应，他刚要再敲，抬起的手却拍在自己的脑门上，他又一次意识到自己的荒谬：老哑巴听不见喊声，敲门声也同样听不见的。他就用手推门，推不开。他怔了一下神，再定睛一看，他看见门上挂着一把大锁。这般赫然一把锁怎么竟大睁着眼看不见呢？他感到愕然，感到不可思议。他的眼光回到茫茫水面，怅然若失。老哑巴今天是见不上了，怎么竟这般的事事不顺呢？他沮丧地转身往回走去，他知道向老哑巴请教的事只能等到以后了。他又走进了芦苇丛中，他心里想着将村外的那座水塘承包下来养鱼的事，如能承包到手就干脆辞职。其实从兄弟死后他便告诉自己不能再教书了，连自己的亲兄弟都没教育好，还有什么脸面教别人家的孩子呢？在别人眼里那不仅仅是误人子弟而是害人子弟了。书是一定不能教下去了。能养鱼最好。改日专程来向老哑巴讨教……国祥这么想时却突然在芦苇丛中站定，直挺挺地站定，尔后是一脸的怒气，一副怒发冲冠的样子，他像法官审讯犯人那般质问自己：你个鸡巴人今个是昏了头咋的，你向一个又聋又哑的人请教他又能告诉你什么呢？你说说他又能教给你什么呢？他怨怒难消，又继续质问下去：你他妈今个究竟是怎么回事呢？荒谬事接二连三地出，就像掉了魂儿一般，好像死了的不是兄弟国瑞而是你自己。

国祥重新上路。天色更加昏暗，全天没有露面的日头肯定已落下山去。右侧方原本看得清晰的昆嵛山已经融入黑暗中，这使本来便黑暗的天幕显得更加黑暗。雨终归没有落下来，让国祥宽心。他粗略计算出到大苇子村还剩下七八里路，多加点腿劲儿天全黑前赶到是没有问题的，只是今晚是非住下不可了。想到这他脑子里陡然跳出这样一个问题：要是大姑夫也提出要为国瑞扎点什么的话，那让他扎点什么呢？他觉得应该预先想一想，反正时间充裕，可以好好想一想……

春之声

王蒙

王蒙的《春之声》毫无疑问是为新时期新生机画像最为准确最为传神的力作。小说采用放射性的结构，以岳之峰的意识流动，将历史与现实、中国和外国、城市和乡村、新与旧、先进和落后浑然相融，交织于一曲生机盎然的《春之声》中，展示出了20世纪80年代初期粗粝而旺盛的勃勃生机。作者以欢欣珍惜的心情诠释着“春天的旋律，生活的密码”，形式本身亦构成了内容，中国新时期文学的气韵发轫于此。

《人民文学》1980年5期

咣的一声，黑夜就到来了。一个昏黄的、方方的大月亮出现在对面墙上。岳之峰的心紧缩了一下，又舒张开了。车身在轻轻地颤抖。人们在轻轻地摇摆。多么甜蜜的童年的摇篮啊！夏天的时候，把衣服放在大柳树下，脱光了屁股的小伙伴们一跃跳进故乡的清凉的小河里，一个猛子扎出十几米，谁知道谁在哪里露出头来呢？谁知道被他慌乱中吞下的一口水里，包含着多少条蛤蟆蝌蚪呢？闭上眼睛，熟睡在闪耀着阳光和树影的涟漪之上，不也是这样轻轻地、轻轻地摇晃着的吗？失去了的和没有失去的童年和故乡，责备我么？欢迎我么？母亲的坟墓和正在走向坟墓的父亲！

方方的月亮在移动，消失，又重新诞生。唯一的小方窗里透进了光束，是落日的余晖还是站台的灯？为什么连另外三个方窗也遮严了呢？黑咕隆咚，好像紧接着下午便是深夜。门咣地一关，就和外界隔开了。那愈来愈响的声音是下起了冰雹吗？是铁锤砸在铁砧上？在黄土高原的乡下，到处还靠人打铁，我们祖国的胳膊有多么发达的肌肉！呵，当然，那只是车轮撞击铁轨的噪音，来自这一节铁轨与那一节铁轨之间的缝隙。目前不是正在流行一支轻柔的歌曲吗，叫作什么来着——《泉水叮咚响》。如果火车也叮咚叮咚地响起来呢？广州人可真会生活，不像这西北高原上，人的脸上和房屋的窗玻璃上到处都蒙着一层厚厚的黄土。广州人的凉棚下面，垂挂着许许多多三角形的瓷板，它们伴随着清风，发出叮叮咚咚的清音，愉悦着心灵。美国的抽象派音乐却叫人发狂。真不知道基辛格听我们的杨子荣咏叹调时有什么样的感受。京剧锣鼓里有噪音，所有的噪音都是令人不快的吗？反正火车开动以后的铁轮声给人以鼓舞和希望。下一站，或者下一站的下一站，或者许多许多的下一站以后的下一站，你所寻找的生活就在那里，母亲或者孩子，友人或者妻子，温热的澡盆或者丰盛的饮食正在那里等待着你。都是回家过年的。过春节，我们的古老的民族的最美好的节日，谢天谢地，现在全国人民都可以快快乐乐地过年了。再不会用“革命化”的名义取消春节了。

还真有趣。在出国考察三个月回来之后，在北京的高级宾馆里住了一阵——总结啦，汇报啦，接见啦，报告啦……之后，岳之峰接到了八十多岁的刚刚摘掉地主帽子的父亲的信。他决定回一趟阔别二十多年的家乡。这是不是个错误呢？他怎么也没想到要坐两个小时零四十七分钟的闷罐子车呀。三个小时以前，他还坐在从北京开往X城的三叉戟客机的宽敞、舒适的座位上。两个月以前，他还坐在驶向汉堡的易北河客轮上。现在呢，他和那些风尘仆仆的，在黑暗中看不清面容的旅客们挤在一起，就像沙丁鱼挤在罐头盒子里。甚至于他辨别不出火车到底是在向哪个方向行走。眼前只有那月亮似的光斑在飞速移动，火车的行驶究竟是和光斑方向相同抑或相反呢？他这个工程物理学家竟为这个连小学生都答得上来的、根本算不上是几何光学的问题伤了半天脑筋。

他已经有二十多年没有回过家乡了。谁让他错投了胎？地主，地主！一九五六年他回过一次家，一次就够用了——回家待了四天，却检讨了二十二年！而伟人的一句话，也够人们学习贯彻一百年。使他惶惑的是，难道人生一世就是为了作检讨？难道他生在中华，就是为了作一辈子的检讨的么？好在这一切都过去了。斯图加特的奔驰汽车工厂的装配线在不停地转动，车间洁净敞亮，没有多少噪音。西门子公司规模巨大，具有一百三十年的历史。我们才刚刚起步。赶上，赶上！不管有多么艰难。哞，哞，哞，快点开，快点开，快开，快开，快，快，快，车轮的声音从低沉的三拍一小节变成两拍一小节，最后变成高亢的呼号了。闷罐子车也罢，正在快开。何况天上还有三叉戟？

尘土和纸烟的雾气中出现了旱烟叶发出的辣味，像是在给气管和肺做针灸。梅花针大概扎在肺叶上了。汗味就柔和得多了。方言的浓度在旱烟与汗味之间，既刺激，又亲切。还有南瓜的香味哩！谁在吃南瓜？X城火车站前的广场上，没有见卖熟南瓜的呀。别的小吃和土特产倒是都有。花生、核桃、葵花籽、柿饼、醉枣、绿豆糕、山药、蕨麻……全有卖的。就像变戏法，举起一块红布，向左指上两指，这些东西就全没了，连火柴、电池、肥皂都跟着短缺。现在呢，一下子又都变了出来，也许伸手再抓两抓，还能抓出更多的财富。柿饼和枣朴质无华，却叫人甜到心里。岳之峰咬了一口上火车前买的柿饼，细细地咀嚼着儿时的甜香。辣味总是一下子就能尝到，甜味却埋得很深很深。要有耐心，要有善意，要有经验，要知觉灵敏。透过辛辣的烟草和热烘烘的汗味儿，岳之峰闻到了乡亲们携带的绿豆香。绿豆苗是可爱的，灰兔子也是可爱的，但是灰色的野兔常常要毁坏绿豆。为了追赶野兔，他和小柱子一口气跑了三里，跑得连树木带田垄都摇来摆去。在中秋的月夜，他亲眼见过一只银灰色的狐狸，走路悄无声息，像仙人，像梦。

车声小了，车声息了。人声大了，人声沸了。咣——哧，铁门打开了，女列车员—— 一个高个子、大骨架的姑娘正洒利地用家乡方言指挥下车和上车的乘客。“没有地方了，没有地方了。到别的车厢去吧。”已经在车上获得了自己的位置的人发出了这种无效的，也是自私的呼吁。上车的乘客正在拥上来，熙熙攘攘。到哪里都是熙熙攘攘。与我们的王府井相比，汉堡的街道上可以说是看不见人，而且市区的人口还在减少。岳之峰从飞机场来到X城火车站的时候吓了一跳——黑压压的人头，压迫得白雪不白，冬青也不绿了。难道是出了什么事情？一九四六年学生运动，人们集合在车站广场，准备拦车去南京请愿，也没有这么多人！岳之峰上大学的时候在北平，有一次他去逛故宫博物院，刚刚下午四点就看不见人影了，阴森的大殿使他的后脊背冒凉气。他小跑着离开了故宫，上了拥挤的有轨电车才放心了一点。如果跑慢了，说不定珍妃会从井里钻出来把他拉下去哩！

但是现在，故宫南门和北门前买入场券的人排着长队。而且不是星期天。X城火车站前的人群令人晕眩。好像全中国有一半人要在春节前夕坐火车。到处都是团聚、相会、团圆饺子、团圆元宵，对于旧谊、对于别情、对于天伦之乐、对于故乡和童年的追寻。卖刚出屉的肉馅包子的，盖包子的白色棉褥子上尽是油污。卖烧饼、锅盔、油条、大饼的。卖整盒整盒的点心的。卖面包和饼干的。X车站和X城饮食服务公司倾全力到车站前露天售货。为了买两个烧饼也要挤出一身汗。岳之峰出了多少汗啊！他混饱了（环境和物质条件的急骤改变已使他分辨不出饥和饱了）肚子，又买到了去家乡的短途客车的票。找给钱的时候他一怔，写的是一块二，怎么只收了六角呢？莫非是自己没有报清站名？他想再问一问，但是排在他后面的人已经占据了售票窗口前的有利阵地，他挤不回去了。

他怏怏地看着手中的火车票。火车票上黑体铅字印的是1.20元，但是又用双虚线勾上了两个占满票面的大字：陆角。这使他百思不得其解，简直像是一种生物学上的密码。“这是怎么回事？为什么我买一块二角的票她却给了我六角钱的？”他自言自语。他问别人。没有人回答他。等待上车的人大多是一些忙碌得可以原谅的利己主义者。

各种信息在他的头脑里撞击。黑压压的人群。遮盖热气腾腾的肉包子的油污的棉被。候车室里张贴着的大字通告：关于春节期间增添新车次的情况，和临时增添的新车次的时刻表。男女厕所门前排着等待小便的人的长队。陆角的双钩虚线。大包袱和小包袱，大篮筐和小篮筐，大提兜和小提兜……他得出了这最后一段行程会是艰难的结论。他有了思想准备。终于他从旅客们的闲谈中听到了“闷罐子车”这个词儿，他恍然了。人脑毕竟比电脑聪明得多。

上到列车上的时候，他有点垂头丧气。在二十世纪八十年代的第一个春节即将来临之时，正在梦寐以求地渴望实现四个现代化的人们，却还要坐瓦特和史蒂文森时代的闷罐子车！事实如此。事实就像宇宙，就像地球，华山和黄河，水和土，氢和氧，钛和铀。既不像想象那样温柔，也不像想象那么冷酷。不是么，闷罐子车里坐满了人，而且还在一个两个，十个二十个地往人与人的缝隙，分子与分子，原子与原子的空隙之中嵌进。奇迹般地难以思议，已经坐满了人的车厢里又增加了那么多人。没有人叫苦。

有人叫苦了：“这个箱子不能压。”一个包着头巾的抱着孩子的妇女试探着能不能坐到一只箱子上。“您到这边来，您到这边来。”岳之峰连忙站起身，把自己的靠边的位置让了出来。坐在靠边的地方，身子就能倚在车壁上，这就是最优越的“雅座”了。那女人有点不好意思。但终于抱着小孩子挪动了过来。她要费好大的力气才能不踩着别人。“谢谢您！”妇女用流利的北京话说。她抬起头。岳之峰好像看到一幅炭笔素描。题目应该叫《微笑》。

叮铃叮铃的铃声响了，铁门又咣的一声关上了，是更深沉的黑夜。车外的暮色也正在浓重起来嘛。大骨架的女列车员点起了一支白蜡，把蜡烛放到了一个方形的玻璃罩子里。为什么不点油灯呢？大概是怕煤油摇洒出来。偌大车厢，就靠这一盏蜡烛照亮。些微的亮光，照得乘客变成了一个又一个的影子。车身又摇晃了，对面车壁上的方形的光斑又在迅速移动了。离家乡又近一些了。摘了帽子，又见到了儿子，父亲该可以瞑目了吧？不论是他的罪恶或者忏悔，不论是他的眼泪还是感激，也不论是他的狰狞丑恶还是老实善良，这一切都快要随着他的消失而云消雾散了。老一辈人正在一个又一个地走向河的那边。咚咚咚，噔噔噔，嘭嘭嘭，是在过桥了吗？联结着过去和未来，中国和外国，城市和乡村，此岸和彼岸的桥啊！

靠得很近的蜡灯把黑白分明的光辉和阴影印制在女列车员的脸上。女列车员像是一尊全身的神像。“旅客同志们，春节期间，客运拥挤，我们的票车（铁路人员一般称客车为票车）去支援长途……提高警惕……”她说得挺带劲，每吐出一个字就像拧紧了一个螺母。她有一种信心十足、指挥若定的气概，以小小的年纪，靠一支蜡烛的光亮，领导着一车的乌合之众。但是她的声音也淹没在轰轰轰，嗡嗡嗡，隆隆隆，不仅是七嘴八舌，而且是七十嘴八十舌的喧嚣里了。

自由市场。百货公司。香港电子石英表。豫剧片《卷席筒》。羊肉泡馍。醪糟蛋花。三接头皮鞋。三片瓦帽子。包产到组。收购大葱。中医治癌。差额选举。结婚筵席……在这些温暖的闲言碎语之中，岳之峰轮流把体重从左腿转移到右腿，再从右腿转移到左腿。幸好人有两条腿，要不然，无依无靠地站立在人和物的密集之中，可真不好受。立锥之地，岳之峰现在对于这句成语才有了形象的理解。莫非古代也有这种拥挤的、没有座位和灯光的旅行车辆吗？但他给一个女同志让了“座位”。不，没有座，只有位。想不到她讲一口北京话。这使岳之峰兴致似乎高了一些。“谢谢”，“对不起”，在国外到处是这种礼貌的用语。虽然有一个装着坚硬的铁器的麻袋正在挤压他右腿的小腿肚子。而另一个席地而坐的人的脊背干脆靠到了他的酸麻难忍的左腿上。

简直是神奇。不仅在慕尼黑的剧院里观看演出的时候；而且在北京，在研究所、部里和宾馆里，在二十三平方米的住房和一〇三和三三二路公共汽车上；他也想不到人们还要坐闷罐子车。这不是运货和运牲畜的车吗？倒霉！可又有什么倒霉的呢？咒骂是最容易不过的。咒骂闷罐子车比起制造新的美丽舒适的客运列车来，既省力又出风头。无所事事而又怨气冲天的人的口水，正在淹没着忍辱负重、埋头苦干的人的劳动。人们时而用高调，时而又用低调冲击着、替代着那些一件又一件，一天又一天，一年又一年的坚韧不拔的工作。

“给这种车坐，可真缺德！”

“你凑合着吧。过去，还没有铁路哩！”

“运兵都是用闷罐子车，要不，就暴露了。”

“要赶上拉肚子的就麻烦了，这种车上没有厕所。”

“并没有一个人拉到裤子里么。”

“有什么办法呢？每逢春节，有一亿多人要坐火车……”

黑暗中听到了这样一些交谈。岳之峰的心平静下来了。是的，这里曾经没有铁路，没有公路，连自行车走的路也没有。阔人骑毛驴，穷人靠两只脚。农民挑着一千五百个鸡蛋，从早晨天不亮出发，越过无数的丘陵和河谷，黄昏时候才能赶到X城。我亲爱的美丽而又贫瘠的土地！你也该富饶起来了吧？过往的记忆，已经像烟一样，雾一样地淡薄了，但总不会被彻底地忘却吧？历史，历史；现实，现实；理想，理想；哞——哞——咣气咣气……喀郎喀郎……沿着莱茵河的高速公路。山坡上的葡萄。暗绿色的河流。飞速旋转。

这不就是法兰克福的孩子们吗？男孩子和女孩子，黄眼睛和蓝眼睛，追逐着的，奔跑着的，跳跃着的，欢呼着的。喂食小鸟的，捧着鲜花的，吹响铜号的，扬起旗帜的。那欢乐的生命的声音。那友爱的动人的呐喊。那红的、粉的和白的玫瑰。那紫罗兰和蓝蓝的勿忘我。

不。那不是法兰克福。那是西北高原的故乡。一株巨大的白丁香把花开在了屋顶的灰色的瓦瓴上。如雪，如玉，如飞溅的浪花。摘下一条碧绿的柳叶，卷成一个小筒，仰望着蓝天白云，吹一声尖厉的哨子。惊得两个小小的黄鹂飞起。挎上小篮，跟着大姐姐，去采撷灰灰菜。去掷石块，去追逐野兔，去捡鹌鹑的斑斓的彩蛋。连每一条小狗，每一只小猫，每一头牛犊和驴驹都在嬉戏。连每一根小草都在跳舞。

不，那不是西北高原。那是解放前的北平。华北局城工部（它的部长是刘仁同志）所属的学委组织了平津学生大联欢。营火晚会。“太阳下山明朝依旧爬上来……我的青春小鸟一样不回来”，“山上的荒地是什么人来开？地上的鲜花是什么人来栽？”一支又一支的歌曲激荡着年轻人的心。最后，大家发出了使国民党特务胆寒的强音：“团结就是力量……让一切不民主的制度死亡！”信念和幸福永远不能分离。

不，那不是逝去了的，遥远的北平。那是解放了的，飘扬着五星红旗的首都。那是他青年时代的初恋，是第一次吹动他心扉的和煦的风。春节刚过，忽然，他觉察到了，风已经不那么冰冷，不那么严厉了。二月的风就带来了和暖的希望，带来了早春的消息。他跑到北海，冰还没有化哩。还没有什么游人哩。他摘下帽子，他解开上衣领下的第一个扣子。还是冬天吗？当然，还是冬天。然而是已经联结着春天的冬天，是冬与春的桥。有风为证，风已经不冷！风会愈来愈和煦，如醉，如酥……他欢迎着承受着别人仍然觉得凛冽，但是他已经为之雀跃的“春”风，小声叫着他悄悄地爱着的女孩子的名字。

那，那……那究竟是什么呢？是金鱼和田螺吗？是荸荠和草莓吗？是孵蛋的芦花鸡吗？是山泉，榆钱，返了青的麦苗和成双的燕子吗？他定了定神。那是春天，是生命，是青年时代。在我们的生活里，在我们每个人的心房里，在猎户星座和仙后星座里，在每一颗原子核，每一个质子、中子、介子里，不都包含着春天的力量，春天的声音吗？

他定了定神，揉了揉眼睛。分明是法兰克福的儿童在歌唱，当然，是德语。在欢快的童声合唱旁边，有一个顽强的、低哑的女声伴随着。

他再定了定神，再揉了揉眼睛，分明是在从X城到N地的闷罐子车上。在昏暗和喧嚣当中，他听到了德语的童声合唱，和低哑的，不熟练的，相当吃力的女声伴唱。

什么？一台录音机。在这个地方听起了录音。一支歌以后又是一支歌，然后是一个成人的歌。三支歌放完了。是叭啦叭啦的揿动键钮的声音，然后三支歌重新开始。顽强的，低哑的，不熟练的女声也重新开始。这声音盖过了一切喧嚣。

火车悠长的鸣笛。对面车壁上的移动着的方形光斑减慢了速度，加大了亮度。在昏暗中变成了一个个的影子的乘客们逐渐显出了立体化的形状和轮廓。车身一个大晃，又一个大晃，大概是通过了岔道。又到站了。咣——哧，铁门打开了，站台的聚光灯的强光照进了车厢。岳之峰看清楚了，录音机就放在那个抱小孩的妇女的膝头。开始下人和上人。录音机接受了女主人的指令，“叭”

的一声，不唱了。

“这是……什么牌子的？”岳之峰问。

“三洋牌。这里人们开玩笑地叫它作‘小山羊’。”妇女抬起头来，大大方方地回答。岳之峰仿佛看到了她的经历过风霜的，却仍然是年轻而又清秀的脸。

“从北京买的么？”岳之峰又问，不知为什么这么有兴趣。本来，他并不是一个饶舌的人。

“不，就从这里。”

这里？不知是指X城还是火车正在驶向的某一个更小的县镇。他盯着“三洋”商标。

“你在学外国歌吗？”岳之峰又问。

妇女不好意思地笑了，“不，我在学外国语。”她的笑容既谦逊，又高贵。

“德语吗？”

“噢，是的。我还没学好。”

“这都是些什么歌儿呀？”一个坐在岳之峰脚下的青年问。岳之峰的连续提问吸引了更多的人。

“它们是……《小鸟，你回来了》、《五月的轮转舞》和《第一株烟草花》，”女同志说，“欣梅尔——天空，福格尔——鸟儿，布鲁米——花朵……”她低声自语。

他们的话没有再继续下去。车厢里充满了的照旧是“别挤！”“这个箱子不能坐！”“别踩着孩子！”“这边没有地方了！”之类的喊叫。

“大家注意啦！”一个穿着民警服装的人上了车，手里拿着半导体扬声喇叭，一边喘着气一边宣布道：“刚才，前一节车厢里上去了两个坏蛋，浑水摸鱼，流氓扒窃。有少数坏痞，专门到闷罐子车上偷东西。那两个坏蛋我们已经抓住了。希望各位旅客提高警惕，密切配合，向刑事犯罪分子作坚决的斗争。大家听清楚了没有？”

“听清楚了！”车上的乘客像小学生一样地齐声回答。

乘务警察满意地，匆匆地跳了下去，手提扩音喇叭，大概又到别的车厢作宣传去了。

岳之峰不由得也摸了摸自己携带的两个旅行包，摸了摸上衣的四个和裤子的三个口袋。一切都健在无恙。

车开了。经过了短暂的混乱之后，人们又已经各得其所，各就其位。各人说着各人的闲话，各人打着各人的瞌睡，各人嗑着各人的瓜子，各人抽着各人的烟。“小山羊”又响起来了，仍然是《小鸟，你回来了》、《五月的轮转舞》和《第一株烟草花》。她仍然在学着德语，仍然低声地歌唱着欣梅尔——天空，福格尔——鸟儿，布鲁米——花朵。

她是谁？她年轻吗？抱着的是她的孩子吗？她在哪里工作？她是搞科学技术的吗？是夜大学的新学员吗？是“老三届”的毕业生吗？她为什么学德语学得这样起劲？她在追赶那失去了的时间吗？她做到了一分钟也不耽搁了吗？她有机会见到德国朋友或者到德国去或者已经到德国去过了吗？她是北京人还是本地人呢？她常常坐火车吗？有许多个问题想问啊。

“您听音乐吧。”她说。好像是在对他说。是的，三支歌曲以后，她没有揿键钮。在《第一株烟草花》后面，是约翰·斯特劳斯的《春之声圆舞曲》，闷罐子车正随着这春天的旋律而轻轻地摇摆着，醺醺地陶醉着，袅袅地前行着。

车到了岳之峰的家乡。小站，停车一分钟。响过了到站的铃，又立刻响起了发车的铃。岳之峰提着两个旅行包下了车。小站没有站台，闷罐子车又没有阶梯。每节车厢放着一个普通木梯，临时支上。岳之峰从这个简陋的木梯上终于下得地来，他长出了一口气。他向那位女同志道了再见。那位女同志也回答了他的再见。他有点依依不舍。他刚下车，还没等着验票出站，列车就开动了。他看到闷罐子车的破烂寒伧的外表：有的地方已经掉了漆，灯光下显得白一块花一块的。但是，下车以后他才注意到，火车头是蛮好的，火车头是崭新的、清洁的、轻便的内燃机车。内燃机车绿而显蓝，瓦特时代毕竟没有内燃机车。内燃机车拖着一长列闷罐子车向前奔驶。天上升起了月亮。车站四周是薄薄的一层白雪。天与雪都泛着连成一片的青光。可以看到远处墓地上的黑黑的、永远长不大的松树。有一点风。他走在了坑坑洼洼的故乡土地上。他转过头，想再多看一眼那一节装有小鸟、五月、烟草花和约翰·斯特劳斯的神妙的春之声的临时代用的闷罐子车。他好像从来还没有听过这么动人的歌。他觉得如今每个角落的生活都在出现转机，都是有趣的，有希望的和永远不应该忘怀的。春天的旋律，生活的密码，这是非常珍贵的。

我的遥远的清平湾

史铁生

史铁生是当代作家中不可忽视的存在。他正值人生壮年之际丧失了行走的能力，却因身体的残缺而获得写作的丰满。他的写作饱含着因苦难而引发的对于生死、命运的哲学拷问，但他却未曾因自身的不幸而对世界丧失信心。相反，在他发表于 1983 年的《我的遥远的清平湾》中，人性的善意和持久的忍耐始终温暖着那个满目疮痍的凋敝乡村。史铁生内心的悲悯和宽阔，语言的节制和优雅，造就了小说悠远而绵长的抒情性，使这部作品成为当代小说的经典之作。

赵利民

《青年文学》1983 年 1 期

北方的黄牛一般分为蒙古牛和华北牛。华北牛中要数秦川牛和南阳牛最好，个儿大，肩峰很高，劲儿足。华北牛和蒙古牛杂交的牛更漂亮，犄角向前弯去，顶架也厉害，而且皮实、好养。对北方的黄牛，我多少懂一点。这么说吧：现在要是有谁想买牛，我担保能给他挑头好的。看体形，看牙口，看精神儿，这谁都知道；光凭这些也许能挑到一头不坏的，可未必能挑到一头真正的好牛。关键是得看脾气，拿根鞭子，一甩，“嗖”的一声，好牛就会瞪圆了眼睛，左蹦右跳。这样的牛干起活来下死劲，走得欢。疲牛呢？听见鞭子响准是把腰往下一塌，闭一下眼睛。忍了。这样的牛，别要。我插队的时候喂过两年牛，那是在陕北的一个小山村儿——清平湾。

我们那个地方虽然也还算是黄土高原，却只有黄土，见不到真正的平坦的塬地了。由于洪水年年吞噬，塬地总在塌方，顺着沟、渠、小河，流进了黄河。从洛川再往北，全是一座座黄的山峁或一道道黄的山梁，绵延不断。树很少，少到哪座山上有几棵什么树，老乡们都记得清清楚楚；只有打新窖或是做棺木的时候，才放倒一、两棵。碗口粗的柏树就稀罕得不得了。要是谁能做上一口薄柏木板的棺材，大伙儿就都佩服，方圆几十里内都会传开。

在山上拦牛的时候，我常想，要是那一座座黄土山都是谷堆、麦垛，山坡上的胡蒿和沟壑里的狼牙刺都是柏树林，就好了。和我一起拦牛的老汉总是“唏溜唏溜”地抽着旱烟，笑笑说：“那可就一股劲儿吃白馍馍了。老汉儿家、老婆儿家都睡一口好材。”

和我一起拦牛的老汉姓白。陕北话里，“白”发“破”的音，我们都管他叫“破老汉”。也许还因为他穷吧，英语中的“poor”就是“穷”的意思。或者还因为别的：那几颗零零碎碎的牙，那几根稀稀拉拉的胡子。尤其是他的嗓子——他爱唱，可嗓子像破锣。傍晚赶着牛回村的时候，最后一缕阳光照在崖畔上，红的。破老汉用镢把挑起一捆柴，扛着，一路走一路唱：“崖畔上开花崖畔上红，受苦人过得好光景……”声音拉得很长，虽不洪亮，但颤微微的，悠扬。碰巧了，崖顶上探出两个小脑瓜，竖着耳朵听一阵，跑了：可能是狐狸，也可能是野羊。不过，要想靠打猎为生可不行，野兽很少。我们那地方突出的特点是穷，穷山穷水，“好光景”永远是“受苦人”的一种盼望。天快黑的时候，进山寻野菜的孩子们也都回村了，大的拉着小的，小的扯着更小的，每人的臂弯里都着个小篮儿，装的苦菜、苋菜或者小蒜、蘑菇……孩子们跟在牛群后面，“叽叽嘎嘎”地吵，争抢着把牛粪撮回窑里去。

越是穷地方，农活也越重。春天播种；夏天收麦；秋天玉米、高粱、谷子都熟了，更忙；冬天打坝、修梯田，总不得闲。单说春种吧，往山上送粪全靠人挑。一担粪六七十斤，一早上就得送四五趟；挣两个工分，合六分钱。在北京，才够买两根冰棍儿的。那地方当然没有冰棍儿，在山上干活渴急了，什么水都喝。天不亮，耕地的人们就扛着木犁、赶着牛上山了。太阳出来，已经耕完了几垧地。火红的太阳把牛和人的影子长长地印在山坡上，扶犁的后面跟着撒粪的，撒粪的后头跟着点籽的，点籽的后头是打土坷拉的，一行人慢慢地、有节奏地向前移动，随着那悠长的吆牛声。吆牛声有时疲惫、凄婉；有时又欢快、诙谐，引动一片笑声。那情景几乎使我忘记自己是生活在哪个世纪，默默地想着人类遥远而漫长的历史。人类好像就是这么走过来的。

清明节的时候我病倒了，腰腿疼得厉害。那时只以为是坐骨神经疼，或是腰肌劳损，没想到会发展到现在这么严重。陕北的清明前后爱刮风，天都是黄的。太阳白蒙蒙的。窑洞的窗纸被风沙打得“唰啦啦”响。我一个人躺在土炕上……

那天，队长端来了一碗白馍……

陕北的风俗，清明节家家都蒸白馍，再穷也要蒸几个。白馍被染得红红绿绿的，老乡管那叫“zì chuī”。开始我们不知道是哪两个字，也不知道什么意思，跟着叫“紫锤”。后来才知道，是叫“子推”，是为纪念春秋时期一个叫介子推的人的。破老汉说，那是个刚强的人，宁可被人烧死在山里，也不出去做官。我没有考证过，也不知史学家们对此作何评价。反正吃一顿白馍，清平湾的老老少少都很高兴。尤其是孩子们，头好几天就喊着要吃子推馍馍了。春秋距今两千多年了，陕北的文化很古老，就像黄河。譬如，陕北话中有好些很文的字眼：“喊”不说“喊”，要说“呐喊”；香菜，叫芫荽；“骗人”也不说“骗人”，叫作“玄谎”……连最没文化的老婆儿也会用“酝酿”这词儿。开社员会时，黑压压坐了一窑人，小油灯冒着黑烟，四下里闪着烟袋锅的红光。支书念完了文件，喊一声：“不敢睡！大家讨论个一下！”人群中于是息了鼾声，不紧不慢地应着：“酝酿酝酿了再……”这“酝酿”二字使人想到那儿确是革命圣地，老乡们还记得当年的好作风。可在我们插队的那些年里，“酝酿”不过是一种习惯了的口头语罢了。乡亲们说“酝酿”的时候，心里也明白：球是不顶！可支书让发言，大伙总得有个说的；支书也是难，其实那些政策条文早已经定了。最后，支书再喊一声：“同意啊不？”大伙回答：“同意——”然后回窑睡觉。

那天，队长把一碗“子推”放在炕沿上，让我吃。他也坐在炕沿上，“吧达吧达”地抽烟。“子推”浮头用的是头两茬面，很白；里头都是黑面，麸子全磨了进去。队长看着我吃，不言语。临走时，他吹吹烟锅儿，说：“唉！‘心儿’家不容易，离家远。”“心儿”就是孩子的意思。

队里再开会时，队长提议让我喂牛。社员们都赞成。“年轻后生家，不敢让腰腿作下病，好好价把咱的牛喂上！”老老小小见了我都这么说。在那个地方，担粪、砍柴、挑水、清明磨豆腐、端午做凉粉、出麻油、打窑洞……全靠自己动手。腰腿可是劳动的本钱；唯一能够代替人力的牛简直是宝贝。老乡把喂牛这样的机要工作交给我，我心里很感动，嘴上却说不出什么。农民们不看嘴，看手。

我喂十头，破老汉喂十头，在同一个饲养场上。饲养场建在村子的最高处，一片平地，两排牛棚，三眼堆放草料的破石窑。清平河水整日价“哗哗啦啦”的，水很浅，在村前拐了一个弯，形成了一个水潭。河湾的一边是石崖，另一边是一片开阔的河滩。夏天，村里的孩子们光着屁股在河滩上折腾，往水潭里"扑通扑通"地跳，有时候捉到一只鳖，又笑又嚷，闹翻了天。破老汉坐在饲养场前面的窑顶上看着，一袋接一袋地抽烟。"'心儿'家不晓得愁，"他说，然后就哑着个嗓子唱起来，"提起那家来，家有名，家住在绥德三十里铺村……"破老汉是绥德人，年轻时打短工来到清平湾，就住下了。绥德出打短工的，出石匠，出说书的，那地方更穷。

绥德还出吹手。农历年夕前后。坐在饲养场上，常能听到那欢乐的唢呐声。那些吹手也有从米脂、佳县来的，但多数是绥德人。他们到处串，随便站在谁家窑前就吹上一阵。如果碰巧那家要娶媳妇，他们就被推去，"呜哩哇啦"地吹一天，吃一天好饭。要是运气不好，吹完了，就只能向人家要一点吃的或钱。或多或少，家家都给，破老汉尤其给得多。他说："谁也有难下的时候"。原先，他也干过那营生，吃是能吃饱，可是常要受冻，要是没人请，夜里就得住寒窑。"揽工人儿难，哎哟，揽工人儿难；正月里上工十月里满，受的牛马苦，吃的猪狗饭……"他唱着，给牛添草。破老汉一肚子歌。

小时候就知道陕北民歌。到清平湾不久，干活歇下的时候我们就请老乡唱，大伙都说破老汉爱唱，也唱得好。"老汉的日子熬煎咧，人愁了才唱得好山歌。"确实，陕北的民歌多半都有一种忧伤的调子。但是，一唱起来，人就快活了。有时候赶着牛出村，破老汉憋细了嗓子唱《走西口》，"哥哥你走西口，小妹妹也难留，手拉着哥哥的手，送哥到大门口。走路你走大路，再不要走小路，大路上人马多，来回解忧愁……"场院的婆姨、女子们嘻嘻哈哈地冲我嚷，"让老汉儿唱个《光棍哭妻》嘛，老汉儿唱得可美！"破老汉只做没听见，调子一转，唱起了《女儿嫁》："一更里叮当响，小哥哥进了我的绣房，娘问女孩儿什么响，西北风刮得门栓响嘛哎哟……"往下的歌词就不宜言传了。我和老汉赶着牛走出很远了，还听见婆姨、女子们在场院上骂。老汉冲我眨眨眼，撅一条柳条，赶着牛，唱一路。

破老汉只带着个七八岁的小孙女过。那孩子小名儿叫"留小儿"。两口人的饭常是她做。

把牛赶到山里。正是晌午。太阳把黄土烤得发红，要冒火似的。草丛里不知名的小虫子"磁——磁——"地叫。群山也显得疲乏，无精打采地互相挨靠着。方圆十几里内只有我和破老汉，只有我们的吆牛声。哪儿有泉水，破老汉都知道：几镢头挖成一个小土坑，一会儿坑里就积起了水。细珠子似的小气泡一串串地往上冒，水很小，又凉又甜。“你看下我来，我也看下你……”老汉喝水，抹抹嘴，扯着嗓子又唱一句。不知道他又想起了什么。

夏天拦牛可不轻闲，好草都长在田边，离庄稼很近。我们东奔西跑地吆喝着，骂着。破老汉骂牛就像骂人，爹、娘、八辈祖宗，骂得那么亲热。稍不留神，哪个狡猾的家伙就会偷吃了田苗。最讨厌的是破老汉喂的那头老黑牛，称得上是“老谋深算”。它能把野草和田苗分得一清二楚。它假装吃着田边的草，慢慢接近田苗，低着头，眼睛却溜着我。我看着它的时候，田苗离它再近它也不吃，一副廉洁奉公的样儿；我刚一回头，它就趁机啃倒一棵玉米或高粱，调头便走。我识破了它的诡计，它再接近田苗时，假装不看它，等它确信无虞把舌头伸向禁区之际，我才大吼一声。老家伙趔趔趄趄地后退，既惊慌又愧悔，那样子倒有点可怜。

陕北的牛也是苦，有时候看着它们累得草也不想吃，“呼哧呼哧”喘粗气，身子都跟着晃，我真害怕它们趴架。尤其是当年那些牛争抢着去舔地上渗出的盐碱的时候，真觉得造物主太不公平。我几次想给它们买些盐，但自己嘴又馋，家里寄来的钱都买鸡蛋吃了。

每天晚上，我和破老汉都要在饲养场上呆到十一二点，一遍遍给牛添草。草添得要勤，每次不能太多。留小儿跟在老汉身边，寸步不离。她的小手绢里总包两块红薯或一把玉米粒。破老汉用牛吃剩下的草疙节打起一堆火，干的“噼噼啪啪”响，湿的“嗞嗞”冒烟。火光照亮了饲养场，照着吃草的牛，四周的山显得更高，黑魆魆的。留小儿把红薯或玉米埋在烧尽的草灰里；如果是玉米，就得用树枝拨来拨去，“啪”地一响，爆出了一个玉米花。那是山里娃最好的零嘴儿了。

留小儿没完没了地问我北京的事。“真个是在窑里看电影？”“不是窑，是电影院。”“前回你说是窑里。”“噢，那是电视。一个方匣匣，和电影一样。”她歪着头想，大约想象不出，又问起别的。“啥时想吃肉，就吃？”“嗯。”“玄谎！”“真的。”“成天价想吃呢？”“那就成天价吃。”这些话她问过好多次了，也知道我怎么回答，但还是问。“你说北京人都不爱吃白肉？”她觉得北京人不爱吃肥肉，很奇怪。她仰着小脸儿，望着天上的星星；北京的神秘，对她来说，不亚于那道银河。

"山里的娃娃什么也解不开，"破老汉说。破老汉是见过世面的，他三七年就入了党，跟队伍一直打到广州。他常常讲起广州：霓虹灯成宿地点着、广州人连蛇也吃、到处是高楼、楼里有电梯……留小儿听得觉也不睡。我说："城里人也不懂得农村的事呢。""城里人解开个狗吗？"留小儿问，"咯咯"地笑。她指的是我们刚到清平湾的时候，被狗追得满村跑。"学生价连犍牛和生牛也解不开，"留小儿说着去摸摸正在吃草的牛，一边数叨"红犍牛、猴犍牛、花生牛……爷！老黑牛怕是难活下了，不肯吃！""它老了，熬了。"老汉说。山里的夜晚静极了，只听得见牛吃草的"沙沙"声，蛐蛐叫，有时远处还传来狼嗥。破老汉有把破胡琴，"吱吱嘎嘎"地拉起来，唱："一九头上才立冬，阎王领兵下河东，幽州困住杨文广，年太平，金花小姐领大兵，……"把历史唱了个颠三倒四。

留小儿最常问的还是天安门。"你常去天安门？""常去。""常能照着毛主席？""哪的来，我从来没见过。""咦？！他就生在天安门上，你去了会照不着？"她大概以为毛主席总站在天安门上，像画上画的那样。有一回她扒在我耳边说："你冬里回北京把我引上行不？"我说："就怕你爷爷不让。""你跟他说说嘛，他可相信你说的了。盘缠我有。""你哪儿来的钱？""卖鸡蛋的钱，我爷爷不要，都给了我，让我买褂褂儿的。""多少？""五块！""不够。""嘻——我哄你，看，八块半！"她掏出个小布包，打开，有两张一块的，其余全是一毛、两毛的。那些钱大半是我买了鸡蛋给破老汉的。平时实在是饿得够呛想解解馋，也就是买几个鸡蛋。我怎么跟留小儿说呢？我真想冬天回家时把她带上。可就在那年冬天，我病厉害了。

其实，喂牛没什么难的，用破老汉的话说，只要勤谨，肯操心就行。喂牛，苦不重，就是熬人，夜里得起来好几趟，一年到头睡不成个囫囵觉。冬天，半夜从热被窝里爬出来的滋味可不是好受的。尤其五更天给牛拌料，牛埋下头吃得香，我坐在牛槽边的青石板上能睡好几觉。破老汉在我耳边叨唠：黑市的粮价又涨了，合作社来了花条绒、留小儿的袄烂得露了花……我"哼哼哈哈"地应着，刚梦见全聚德的烤鸭，又忽然掉进了什刹海的冰窟窿，打了个冷颤醒了，破老汉还没唠叨完。"要不回窑睡去吧，二次料我给你拌上。"老汉说。天上划过一道亮光，是流星。月亮也躲进了山谷。星星和山峦，不知是谁望着谁，或者谁忘了谁。"这营生不是后生家做的，后生家正是好睡觉的时候。”破老汉说，然后“唉，唉——”地发着感慨。我又迷迷糊糊地入了梦乡。

碰上下雨下雪，我们俩就躲进牛棚。牛棚里尽是粪尿，连打个盹的地方也没有。那时候我的腿和腰就总酸疼。“倒运的天”！破老汉骂，然后对我说：“北京够咋美，偏来这山沟沟里做什么嘛。”“您那时候怎么没留在广州？”我随便问。他抓抓那几根黄胡子，用烟锅儿在烟荷包里不停地剜，瞪着眼睛愣半天，说：“咋！让你把我问着了，我也不晓得咋价日鬼的。”然后又愣半天，似乎回忆着到底是什么原因。“唉，毬毛擀不成个毡，山里人当不成个官。”他说，“我那阵儿要是不回来，这阵儿也住上洋楼了，也把警卫员带上了。山里人憨着咧，只要打罢了仗就回家，哪搭儿也不胜窑里好。毬！要不，我的留小儿这阵儿还愁穿不上个条绒袄儿？”

每回家里给我寄钱来，破老汉总嚷着让我请他抽纸烟。

“行！”我说：“‘牡丹’的怎么样？”“唏——‘黄金叶’的就拔尖了！”“可有个条件，”我凑到他耳边，“得给‘后沟里的’送几根去。”“憨娃娃！”他骂。“后沟里的”指的是住在后沟里的一个寡妇，比破老汉小十九岁，村里人都知道那寡妇对破老汉不错。老汉抽着纸烟，望着远处。我也唱一句：“你看下我来，我也看下你……”递给他几根纸烟，向后沟的方向示意。他不言传，笑眯眯地不知道想了什么。末了，他把几根纸烟装进烟荷包，说：“留小儿大了嫁到北京去呀！”说罢笑笑，知道那是不沾边儿的事。

在后山上拦牛的时候，远远地望着后沟里的那眼土窑洞，我问破老汉：“那婆姨怎么样？”“亮亮妈，人可好。”他说。我问：“那你干吗不跟她过？”“唏——老了老了还……”他打岔，“算了吧！”我说：“那你夜里常往她窑里跑。”我其实是开玩笑。“咦！不敢瞎说！”他装得一本正经。我诈他：“我都看见了，你还不承认！”他不言传了，尴尬地笑着。其实我什么也没看见。

破老汉望着山脚下的那眼窑洞。窑前，亮亮妈正费力地劈着一疙瘩树根；一个男孩子帮着她劈，是亮亮。“我看你就把她娶了吧，她一个人也够难的。再说就有人给你缝衣裳了。”“唉，丢下留小儿谁管？”“一搭里过嘛！”“她的亮亮也娇惯得危险，留小儿要受气呢。后妈总不顶亲的。”“什么后妈，留小儿得管她叫奶奶了。”“还不一样？”山里没人，我们敞开了说。亮亮家的窑顶上冒起了炊烟。老汉呆呆地望着，一缕蓝色的轻烟在山沟里飘绕。小学校放学的钟声“当当”地敲响了。太阳下山了，收工的人们扛着锄头在暮霭中走。拦羊的也吆喝着羊群回村了，大羊喊，小羊叫“咩咩”地响成一片。老汉还是呆呆地坐着，闷闷地抽烟。他分明是心动了，可又怕对不起留小儿。留小儿的大死得惨，平时谁也不敢向破老汉问起这事，据说，老汉一想起就哭，自己打自己的嘴巴。听说，都是因为破老汉舍不得给大夫多送些礼，把儿子的病给耽误了；其实，送十来斤米或者面就行。那些年月啊！

秋天，在山里拦牛简直是一种享受。庄稼都收完了，地里光秃秃的，山洼、沟掌里的荒草却长得茂盛。把牛往沟里一轰，可以躺在沟门上睡觉；或是把牛赶上山，在山下的路口上坐下，看书。秋山的色彩也不再那么单调：半崖上小灌木的叶子红了，杜梨树的叶子黄了，酸枣棵子缀满了珊瑚珠似的小酸枣……尤其是山坡上绽开了一丛丛野花，淡蓝色的，一丛挨着一丛，雾蒙蒙的。灰色的小田鼠从黄土坷垃后面探头探脑；野鸽子从悬崖上的洞里钻出来，“扑棱棱”飞上天；野鸡“咕咕嘎嘎”地叫，时而出现在崖顶上，时而又钻进了草丛……我很奇怪，生活那么苦，竟然没人逮食这些小动物。也许是因为没有枪，也许是因为这些鸟太小也太少，不过多半还是因为别的。譬如：春天燕子飞来时，家家都把窗户打开，希望燕子到窑里来做窝；很多家窑里都住着一窝燕儿，没人伤害它们。谁要是说燕子的肉也能吃，老乡们就会露出惊讶的神色，瞪你一眼：“咦！燕儿嘛！”仿佛那无异于亵渎了神灵。

种完了麦子，牛就都闲下了，我和破老汉整天在山里拦牛。老汉闲不着，把牛赶到地方，跟我交代几句就不见了。有时忽然见他出现在半崖上，奋力地劈砍着一棵小灌木。吃的难，烧的也难，为了一把柴，常要爬上很高很陡的悬崖。老汉说，过去不是这样，过去人少，山里的好柴砍也砍不完，密密匝匝的，人也钻不进去。老人们最怀恋的是红军刚到陕北的时候，打倒了地主，分了地，单干。“才红了那阵儿，吃也有得吃，烧也有得烧，这咋会儿，做过啦！”老乡们都这么说。真是，“这咋会儿”，迷信活动倒死灰复燃。有一回，传说从黄河东来了神神，有些老乡到十几里外的一个破庙去祷告，许愿。破老汉不去。我问他为什么，他皱着眉头不说，又哼哼起《山丹丹开花红艳艳》。那是才红了那阵儿的歌。过了半天，使劲磕磕烟袋锅，叹了口气：“都是那号婆姨闹的！”“哪号？”我有点明知故问。他用烟袋指指天，摇摇头，撇撇嘴：“那号婆姨，我一照就晓得……”如此算来，破老汉反“四人帮”要比

"四·五"运动早好几年呢！

在山里，有那些牛做伴即便剩我一个人，也并不寂寞。我半天半天地看着那些牛，它们的一举一动都意味着什么，我全懂。平时，牛不爱叫，只有奶着犊子的生牛才爱叫。太阳偏西，奶着犊儿的生牛就急着要回村了，你要是不让它回，它就"哞——哞——"地叫个不停，急得团团转，无心再吃草。

有一回，我在山洼洼里，睡着了，醒来太阳已经挨近了山顶。我和破老汉吆起牛回村，忽然发现少了一头。山里常有被雨水冲成的暗洞，牛踩上就会掉下去摔坏。破老汉先也一惊，但马上看明白，说："没麻搭，它想儿了，回去了。"我才发现，少了的是一头奶犊儿的生牛。离村老远，就听见饲养场上一声声牛叫了，儿一声，娘一声，似乎一天不见，母子间有说不完的贴心话。牛不老，在母亲肚子底下一下一下地撞，吃奶，母牛的目光充满了温柔、慈爱，神态那么满足，平静。我喜欢那头母牛，喜欢那只牛不老。我最喜欢的是一头红犍牛，高高的肩峰，腰长腿壮，单套也能拉得动大步犁。红犍牛的犄角长得好，又粗又长，向前弯去；几次碰上邻村的牛群，它都把对方的首领顶得败阵而逃。我总是多给它拌些料，犒劳它。但它不是首领。最讨厌的还是那头老黑牛，不仅老奸巨猾，而且专横跋扈，双套它也会气喘吁吁，却占着首领的位置。遇到外"部落"的首领，它倒也勇敢，但不下两个回合，便跑得比平时都快了。那头老生牛就好，虽然比老黑牛还老，却和蔼得很，再小的牛冲它伸伸脖子，它也会耐心地为之舔毛……和牛在一起，也可谓其乐无穷了，不然怎么办呢？方圆十几里内看不见一个人，全是山。偶尔有拦羊的从山梁上走过，冲我呐喊两声。黑色的山羊在陡峭的岩壁上走，如走平地，远远看去像是悬挂着的棋盘；白色的绵羊走在下边，是白棋子。山沟里有泉水，渴了就喝，热了就脱个精光，洗一通。那生活倒是自由自在，就是常常饿肚子。

破老汉有个弟弟，我就是顶替了他喂牛的。据说那人奸猾，偷牛料；头几年还因为投机倒把坐过县大狱。我倒不觉得那人有多坏，他不过是蒸了白馍跑到几十里外的水站上去卖高价，从中赚出几升玉米、高粱米。白面自家舍不得吃。还说他捉了乌鸦，做熟了当鸡卖，而且白馍里也掺了假。破老汉看不上他弟弟，破老汉佩服的是老老实实的受苦人。

一阵山歌，破老汉担着两捆柴回来了。"饿了吧？"他问我。"我把你的干粮吃了。"我说。"吃得下那号干粮？"他似乎感到快慰，他"哼哼唉唉"地唱着，带我到山背洼里的一棵大杜梨树下。“咋吃！”他说着爬上树去。他那年已经五十六岁了，看上去还要老，可爬起树来却比我强。他站在树上，把一杈杈结满了杜梨的树枝撅下来，扔给我。那果实是古铜色的，小指盖儿大小，上面有黄色的碎斑点，酸极了，倒牙。

老汉坐在树杈上吃，又唱起来：“对面价沟里流河水，横山里下来些游击队……”那是《信天游》。老汉大约又想起了当年。他说他给刘志丹抬过棺材，守过灵。别人说他是吹牛。破老汉有时是好吹吹牛。“牵牛牛开花羊跑春，二月里见罢到如今……”还是《信天游》。我冲他喊：“不是夜来黑喽才见罢吗？”“憨娃娃，你还不赶紧寻个婆姨？操心把‘心儿’耽误下！”他反唇相讥。“‘后沟里的’可会迷男人？”“咦！亮亮妈，人可好！”“这两捆柴，敢是给亮亮妈砍的吧？”“谁情愿要，谁扛去。”这话是真的，老汉穷，可不小气。

有一回我半夜起来去喂牛，借着一缕淡淡的月光，摸进草窑。刚要搅草，忽然从草堆里站起两个人来，吓得我头皮发麻，不禁喊了一声，把那两个人也吓得够呛。一个岁数大些的连忙说：“别怕，我们是好人。”破老汉提着个马灯跑了过来，以为是有了狼。那两个人是瞎子说书的，从绥德来。天黑了，就摸进草窑，睡了。破老汉把他们引回自家窑里，端出剩干粮让他们吃。陕北有句民谣：“老乡见老乡，两眼泪汪汪。”老汉和两个瞎子长吁短叹，唠了一宿。

第二天晚上，破老汉操持着，全村人出钱请两个瞎子说了一回书。书说得乱七八糟，李玉和也有，姜太公也有，一会是伍子胥一夜白了头，一会又是主席语录。窑顶上，院墙上，磨盘上，坐得全是人，都听得入神。可说的是什么，谁也含糊。人们听的那么个调调儿。陕北的说书实际是唱，弹着三弦儿，艾艾怨怨地唱，如泣如诉，像是村前汩汩而流的清平河水。河水上跳动着月光。满山的高粱、谷子被晚风吹得“沙沙”响，时不时传来一阵响亮的驴叫。破老汉搂着留小儿坐在人堆里，小声跟着唱。亮亮妈带着亮亮坐在窑顶上，穿得齐齐整整。留小儿在老汉怀里睡着了，她本想是听完了书再去饲养场上爆玉米花的，手里攥着那个小手绢包儿。山村里难得热闹那么一回。

我倒宁愿去看牛顶架，那实在也是一项有益的娱乐，给人一种力量的感受，一种拼搏的激励。我对牛打架颇有研究。

二十头牛（主要是那十几头犍牛、公牛）都排了座次，当然不是以姓氏笔画为序，但究竟根据什么，我一开始也糊涂。我喂的那头最壮的红犍牛却敬畏破老汉喂的那头老黑牛。红犍牛正是年轻力壮的时候，肩峰上的肌肉像一座小山，走起路来步履生风，而老黑牛却已显出龙钟老态，也瘦，只剩了一副高大的骨架。然而，老黑牛却是首领。遇上有哪头母牛发了情，老黑牛便几乎不吃不喝地看定在那母牛身旁，绝不允许其他同性接近。我几次怂恿红犍牛向它挑战，然而只要老黑牛晃晃犄角，红犍牛便慌忙躲开。我实在憎恨老黑牛的狂妄、专横，又为红犍牛的怯懦而生气。后来我才知道，牛的排座次是根据每年一度的角斗，谁夺了魁，便在这一年中被尊崇为首领，享有“三宫六院”的特权，即便它在这一年中变得病弱或衰老，其他的牛也仍为它当年的威风所震慑，不敢贸然不恭。习惯势力到处在起作用。可是，一开春就不同了，闲了一冬，十几头犍牛、公牛都积攒了气力，是重新较量、争魁的时候了。“男子汉”们各自权衡了对手和自己的实力，自然地推举出一头（有时是两头）体魄最大，实力最强的新秀，与前冠军进行决赛。那年春天，我的红犍牛处在新秀的位置上，开始对老黑牛有所怠慢了。我悄悄促成它们决斗，把它们引到开阔的河滩上去（否则会有危险）。这事不能让破老汉发觉，否则他会骂。一开始，红犍牛仍有些胆怯，老黑牛尚有余威。但也许是春天的母牛们都显得愈发俊俏吧，红犍牛终于受不住异性的吸引或是轻蔑，“哞——哞——”地叫着向老黑牛挑战了。它们拉开了架势，对峙着，用蹄子刨土，瞪红了眼睛，慢慢地接近，接近……猛地扭打到一起。这时候需要的是力量，是勇气。犄角的形状起很大作用，倘是两支粗长而向前弯去的角，便极有利，左右一晃就会顶到对方的虚弱处，然而，红犍牛和老黑牛都长了这样两支角。这就要比机智了。前冠军毕竟老朽了，过于相信自己的势力和威风，新秀却认真、敏捷。红犍牛占据了有利地形（站在高一些的地方比较有利），逼得老黑牛步步退却，只剩招架之功。红犍牛毫不松懈，瞧准机会把头一低，一晃一冲，顶到了对方的脖子。老黑牛转身败走，红犍牛追上去再给老首领的屁股上加一道失败的标记。第一回合就此结束。这样的较量通常是五局三胜制或九局五胜制。新秀连胜几局，元老便自愿到一旁回忆自己当年的骁勇去了。

为了这事，破老汉阴沉着脸给我看。我笑嘻嘻地递过一根纸烟去。他抽着烟，望着老黑牛屁股上的伤痕，说：“它老了呀！它救过人的命……”

据说，有一年除夕夜里，家家都在窑里喝米酒，吃油馍，破老汉忽然听见牛叫、狼嗥。他想起了一头出生不久的牛不老，赶紧跑到牛棚。好家伙，就见这黑牛把一只狼顶在墙旮旯里，黑牛的脸被狼抓得流着血，但它一动不动，把犄角牢牢地插进了狼的肚子。老汉打死了那只狼，卖了狼皮，全村人抽了一回纸烟。

“不，不是这。”破老汉说，“那一年村里的牛死的死，杀的杀（他没说是哪年），快光了。全凭好歹留下来的这头黑牛和那头老生牛，村里的牛才又多起来。全靠了它，要不全村人倒运吧！”破老汉摸摸老黑牛的犄角。他对它分外敬重。“这牛死了，可不敢吃它的肉，得埋了它。”破老汉说。可是，老黑牛最终还是被人拖到河滩上杀了。那年冬天，老黑牛不小心踩上了山坡上的暗洞，摔断了腿。牛被杀的时候要流泪，是真的。只有破老汉和我没有吃它的肉。那天村里处处飘着肉香。老汉呆坐在老黑牛空荡荡的槽前，只是一个劲抽烟。

我至今还记得这么件事：有天夜里，我几次起来给牛添草，都发现老黑牛站着，不卧下。别的牛都累得早早地卧下睡了，只有它喘着粗气，站着。我以为它病了。走进牛棚，摸摸它的耳朵，这才发现，在它肚皮底下卧着一只牛不老。小牛犊正睡得香，响着均匀的鼾声。牛棚很窄，各有各的“床位”，如果老黑牛卧下，就会把小牛犊压坏。我把小牛犊赶开（它睡的是“自由床位”），老黑牛“噗通”一声卧倒了。它看着我，我看着它。它一定是感激我了，它不知道谁应该感激它。

那年冬天我的腿忽然用不上劲儿了，回到北京不久，两条腿都开始萎缩。

住在医院里的时候，一个从陕北回京探亲的同学来看我，带来了乡亲们捎给我的东西：小米、绿豆、红枣儿、芝麻……我认出了一个小手绢包儿，我知道那里头准是玉米花。那个同学最后从兜里摸出一张十斤的粮票，说是破老汉让他捎给我的。粮票很破，渍透了油污，中间用一条白纸相连。

“我对他说这是陕西省通用的。在北京不能用，破老汉不信，说：‘咦！你们北京就那么高级？我卖了十斤好小米换来的，咋啦不能用？！’我只好带给你。破老汉说你治病时会用得上。”

唔，我记得他儿子的病是怎么耽误了的，他以为北京也和那儿一样。

十年过去了。前年留小儿来了趟北京，她真的自个儿攒够了盘缠！她说这两年农村的生活好多了，能吃饱，一年还能吃好多回肉。她说，黑肉真的还是比白肉好吃些。

“清平河水还流吗？”我糊里巴涂地这样问。

“流哩嘛！”留小儿“咯咯”地笑。

“我那头红犍牛还活着吗？”

“在哩！老下了。”

我想象不出我那头浑身是劲儿的红犍牛老了会是什么样，大概跟老黑牛差不多吧，既专横又慈爱……

留小儿给他爷爷买了把新二胡。自己想买台缝纫机可没买到。

“你爷爷还爱唱吗？”

“一天价瞎唱。”

“还唱《走西口》吗？”

“唱。”

“《揽工调》呢？”

“什么都唱。”

“不是愁了才唱吗？”

“咦？！谁说？”

关于民歌产生的原因，还是请音乐家和美学家们去研究吧。我只是常常记起牛群在土地上舔食那些渗出的盐的情景，于是就又想起破老汉那悠悠的山歌：“崖畔上开花崖畔上红，受苦人过得好光景……”如今，“好光景”已不仅仅是“受苦人”的一种盼望了。老汉唱的本也不是崖畔上那一缕残阳的红光，而是长在崖畔上的一种野花，叫山丹丹，红的，年年开。

哦，我的白老汉，我的牛群，我的遥远的清平湾……

班主任

刘心武

刘心武的《班主任》打开了中国新时期文学的大门，开启了新的文学时代。小说通过一位班主任的新的工作和几个不同状况的中学生的命运，反映了经历过十年“动乱”之后，国人最初的开放意识的萌动，以及向过去告别的勇敢决心。作品真切地感应到中国走向开放和面对改革的氛围，为一个大时代写下了最初的见证。《班主任》用人性和文明的光芒反射出正在走向未来的社会的新希望。它的故事虽然单纯，却有不一样的价值和意义。

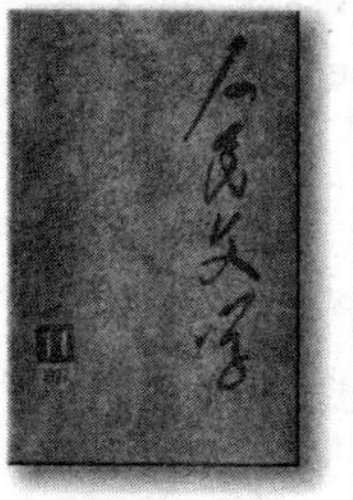

《人民文学》1977 年 11 期

張頤武

一

你愿意结识一个小流氓，并且每天同他相处吗？我想，你肯定不愿意，甚至会嗔怪我何以提出这么一个荒唐的问题。

但是，在光明中学党支部办公室里，当黑瘦而结实的支部书记老曹，用信任的眼光望着初三（3）班班主任张俊石老师，换一种方式向他提出这个问题时，张老师并不以为古怪荒唐。但他只是极其严肃地考虑了一分钟左右，便断然回答说："好吧！我愿意认识认识他……"

事情是这样的：前些日子，公安局从拘留所把小流氓宋宝琦放了出来。他是因为卷进了一次集体犯罪活动被拘留的。在审讯过程中，面对着无产阶级专政的强大威力与政策感召，他浑身冒汗，嘴唇哆嗦，作了较为彻底的坦白交代，并且揭发检举了首犯的关键罪行。因此。公安局根据他的具体情况情节较轻而坦白揭发较好，加上还不足十六岁将他教育释放了。他的父母感到再也难在老邻居们面前抛头露面，便通过换房的办法搬了家，恰好搬到光明中学附近。根据这几年实行的"就近入学"办法，他父母来申请将宋宝琦转入光明中学上学。他该上初三，而初三（3）班又恰好有空位子，再加上张老师有十几年的班主任工作经验，又是这个年级班主任里唯一的党员。因此，经过党支部研究，接受了宋宝琦的转学要求，并且由老曾直接找到张老师，直截了当地摆出情况，问他说：“怎么样？你把宋宝琦收下吧？”

正像你所知道的那样，张老师思忖的目光刚同老曹那饱含期待、鼓励的目光相遇，他便答应下来了。接受了宋宝琦的转学要求。

二

张老师是个什么样的人呢？

趁他顶着春天的风沙，骑车去公安局了解宋宝琦情况的当日，我们可以仔细观察他一番。

张老师实在太平凡了。他今年三十六岁，中等身材，稍微有点发胖。他的衣裤都明显地旧了，但非常整洁。每一个纽扣都扣得规规矩矩，连制服外套的风纪扣，也一丝不苟地扣着。他脸庞长圆，额上有三条挺深的抬头纹，眼睛不算大，但能闪闪放光地看人，撒谎的学生最怕他这目光；不过，更让学生们敬畏的是张老师的那张嘴，人们都说薄嘴唇的人能说会道，张老师却是一对厚嘴唇，冬春常被风吹得爆出干皮儿；从这对厚嘴唇里迸出的话语，总是那么热情、生动、流利，像一架永不生锈的播种机，不断在学生们的心田上播下革命思想和知识的种子，又像一把大条帚，不停息地把学生心田上的灰尘无情地扫去……

一路上，张老师的表情似乎挺平淡。三条挺深的抬头纹，眼睛不算大，等到听完公安局同志的情况介绍、翻完卷宗以后，他的脸上才显露出强烈的表情来很难形容，既不全是愤慨，也不排除厌恶与蔑视，似乎渐渐又由决心占了上风，但忧虑与沉重也明显可见。

张老师从公安局回到学校时，已经是下午三点钟。他掏出叠得很整齐的手绢，一边擦着脑门上的汗，一边走进年级组办公室。显然同组的老师们都已知道宋宝琦将于明天到他班上课的事了。教数学的尹达磊老师头一个迎上他，形成了关于宋宝琦的第一个波澜。

三

尹老师和张老师同岁，同是一个师范学院毕业，同时分配到光明中学任教，又经常同教一个年级。他们一贯推心置腹，就是吵嘴，也从不含沙射影、指桑骂槐，总是把想法倾巢倒出，一点“底儿”也不留。

尹老师身材细长，五官长得紧凑，这就使他永远摆脱不了“娃娃相”，多亏鼻梁上架着副深度近视镜，才使他在学生们面前不至有失长者的尊严。

在这 1977 年的春天，尹老师感到心里一片灿烂的阳光。他对教育战线，对自己的学校、所教的课程和班级，都充满了闪动着光晕的憧憬。他觉得一切不合理的事物都应该而且能够迅速得到改进。他认为“四人帮”既已揪出，扫荡“四人帮”在教育战线的流毒，形成理想的境界应当不需要太多的时间。不过，最近这些天他有点沉不住气。他愿意一切都如春江放舟般顺利，不曾想却仍要面临一些复杂的问题。

关于宋宝琦即将“驾到”的消息一入他的耳中，他就忍不住热血沸腾。张老师刚一迈进办公室，他便把满腔的“不理解”朝老战友发泄出来。他劈面责问张老师：“你为什么答应下来？眼下，全年级面临的形势是要狠抓教学质量，你弄个小流氓来，陷到做他个别工作的泥坑里去，哪还有精力抓教学质量？闹不好，还弄个‘一粒耗子屎坏掉一锅粥’！你呀你，也不冷静地想想，就答应下来，真让人没法理解……”

办公室的其他老师，有的赞同尹老师的观点，却不赞同他那生硬的态度；有的不赞成他的观点，却又觉得他的确是出于一片好心；有的一时还拿不准道理上该怎么看，只是为张老师凭空添了这么副重担子，滋生了同情与担忧……因此，虽然都或坐或站地望着张老师，却一时都没有说话。就连搁放在存物架上的生理卫生课教具耳朵模型，仿佛也特意把自己拉成了一尺半长，在专注地等待着张老师作答。

张老师觉得尹老师的意见未免偏激。但并不认为尹老师的话毫无道理。他静静地考虑了一分钟，便答辩似地说：“现在，既没有道理把宋宝琦退回给公安局，也没有必要让他回原学校上学。我既然是个班主任老师，那么，他来了，我就开展工作吧……”

这真是几句淡而无味的话。倘若张老师咄咄逼人地反驳尹老师，也许会引起一场火爆的争论，而他竟出乎意料地这样作答，尹老师仿佛反被慑服了。别的老师也挺感动，有的还不禁低首自问：“要是把宋宝琦分到我的班上，我会怎么想呢？”

张老师的确必须立即开展工作，因为。就在这时，他班上的团支部书记谢惠敏找他来了。

四

谢惠敏的个头比一般男生还高，她腰板总挺得直直的，显得很健壮。有一回，她打业余体校栅栏墙外走过，一眼被里头的篮球教练看中。教练热情地把她请了进去，满心以为发现了个难得的培养对象。谁知让这位长圆脸、大眼睛的姑娘试着跑了几次篮后，竟格外地失望——原来，她弹跳力很差，手臂手腕的关节也显得过分僵硬，一问，她根本对任何球类活动都没有兴趣。

的确，谢惠敏除了随着大伙看看电影、唱唱每个阶段的推荐歌曲，几乎没有什么业余爱好。她功课中平，作业有时完不成，主要是由于社会工作占去的精力和时间大多了，因此倒也能获得老师和同学们的谅解。

头年夏天，张老师接任这个班的班主任时，谢惠敏已经是团支部书记了。张老师到任不久便轮到这个班下乡学农，返校的那天，队伍离村二里多了，谢惠敏突然发现有个男生手里转动着个麦穗，她不禁又惊又气地跑过去批评说：“你怎么能带走贫下中农的麦子？给我！得送回去！”那个男生不服气地辩解说：“我要拿回家给家长看，让他们知道这儿的麦子长得有多么棒！”结果引起一场争论，多数同学并不站在谢惠敏一边，有的说她“死心眼”，有的说她“太过分”。最后自然轮到张老师表态，谢惠敏手里紧紧握着那根丰满的麦穗，微张着嘴唇，期待地望着张老师。出乎许多同学的意料，张老师同意了谢惠敏送回麦穗的请求。耳边响着一片扬声争论与喁喁低议交织成的音波，望着在雨后泥泞的大车道上奔回村庄的谢惠敏那独特的背影，张老师曾经感动地想：问题不在于小小的麦穗是否一定要这样来处理：看哪，这个仅仅只有三个月团龄的支部书记，正用全部纯洁而高尚的感情，在维护“绝不能让贫下中农损失一粒麦子”的信念，她的身上，有着多么可贵的闪光素质啊！

但是，这以后，直到“四人帮”揪出来之前，浓郁的阴云笼罩着我们祖国的大地，阴云的暗影自然也投射到了小小的初三（3）班。被“四人帮”那个大黑干将控制的团市委，已经向光明中学派驻了联络员，据说是来培养某种“典型”，是否在初三（3）班设点，已在他们考虑之中，谢惠敏自然常被他们找去谈话。谢惠敏对他们的“教诲”并不能心领神会，因为她没有丝毫的政治投机心理，她单纯而真诚。但是，打从这时候起，张老师同谢惠敏之间开始显露出某种似乎解释不清的矛盾。比如说，谢惠敏来告状，说团支部过组织生活时，五个团员竟有两个打瞌睡。张老师没有去责难那两个不像样子的团员，却向谢惠敏建议说；“为什么过组织生活总是念报纸呢？下回搞一次爬山比赛不成吗？保险他们不会打瞌睡！”谢惠敏瞪圆了双眼，几乎不相信自己的耳朵，隔了好一阵，才抗议地说：“爬山，那叫什么组织生活？我们读的是批宋江的文章啊……”再比如，那一天热得像被扣在了蒸笼里，下了课，女孩子们都跑拢窗口去透气，张老师把谢惠敏叫到一边，上下打量着她说：“你为什么还穿长袖衬衫呢？你该带头换上短袖才是，而且，你们女孩子该穿裙子才对啊！”谢惠敏虽然热得直喘气，却惊讶得满脸涨红，她简直不能理解张老师在提倡什么作风！班上只有宣传委员石红才穿带小碎花的短袖衬衫，还有那种带褶子的短裙，这在谢惠敏看来，乃是“沾染了资产阶级作风”的表现！

“四人帮”揪出来之后，张老师同谢惠敏之间的矛盾自然可以解释清楚了，但并没有完全消除。

现在，谢惠敏找到张老师。向他汇报说：“班上同学都知道宋宝琦要来了，有的男生说他原来是什么‘菜市口老四’，特别厉害；有些女生害怕了，说是明天宋宝琦真来，她们就不上学了！”

张老师一愣。他还没有来得及预料到这些情况。现在既然出现了这些情况，他感到格外需要团支部配合工作，便问谢惠敏：“你怕吗？你说该怎么办？”

谢惠敏晃晃小短辫说：“我怕什么？这是阶级斗争！他敢犯狂，我们就跟他斗！”

张老师心里一热。一霎时，那在泥泞的大车道上奔走的背影活跳在记忆的屏幕上。他亲热地对谢惠敏说：“你赶紧把团支部和班委会的人找齐，咱们到教室开个干部会！”

五

四点二十左右，干部会结束了。其他干部们都走了，教室里只剩下张老师、谢惠敏和石红三个人。

石红恰好面对窗户坐着，午后的春阳射到她的圆脸庞上，使她的两颊更加红润；她拿笔的手托着腮，张大的眼眶里，晶亮的眸子缓慢地游动着，丰满的下巴微微上翘，这是每当她要想出一个更巧妙的方法来解决一道教学题时，为数学老师所熟悉、所喜爱的神态。可是此刻她并不是在解数学题，而是在琢磨怎么写出明天一早同大家也包括宋宝琦见面的“号角诗”。

张老师同谢惠敏在一旁谈着话。惠敏在一旁谈着话。围绕着接收宋宝琦需要展开的工作，已经全部落实。男生干部们分头找男生们做工作去了，跟他们讲宋宝琦并不是什么威震菜市口的“英雄”，而是个犯了错误的需要帮助的人。对他既别好奇乃至于敬畏，也不能歧视打击，大家要齐心合力地帮助他。女生干部将分头到那几个或者是因为胆小，或者是出于赌气，宣布明天不来上学的女生家去，对她们和她们的家长讲清楚，学校一定会保证女孩子们不受宋宝琦欺侮；对宋宝琦这样的小流氓，消极躲避只能助长他的恶习，只有团结起来同他斗争，进行教有，才能化有害为无害，并且逐步化无害为有益。张老师则要对宋宝琦进行家访，对他以及他的家长进行初步了解，并进行第一次思想工作，石红的“口角诗”明天一早将向大家强调：“让我们的教室响彻向‘四化’进军的脚步声！”

当石红的“号角诗”快要写完的时候，张老师同谢惠敏的谈话结束了。张老师把摊在桌上、刚给干部们看过的几件东西往一块敛。那是张老师从派出所带回来的、宋宝琦犯案后被搜出的物品：一把用来斗殴的自行车弹簧锁，一副残破油腻的扑克牌，一个式样新颖附有打火机的镀镍烟盒，还有一本撕掉了封皮的小说。小干部们面对这些东西都厌恶得皱鼻子、撇嘴角。谢惠敏提议说：“团支部明天课后开个现场会，积极分子们也参加，摆出这些东西，狠狠批判一顿！”大伙都同意，张老师也点头说：“对，要利用这个机会，进一步抓好反腐蚀教育。”

没曾想，临到张老师收敛这几件物品时，突然出现了矛盾，还闹得挺僵。别的东西都收进书包了，只剩下那本小说。张老师原来顾不得细翻，这时拿起来一检查，不由得“啊！”了一声。原来那是本“文化大革命”以前，中国青年出版社出版的长篇小说《牛虻》。

谢惠敏感到张老师神情有点异常，忙把那本书要过来翻看。她以前没听说过、更没看见过这本书，她见里头有外国男女讲恋爱的插图，不禁惊叫起来：“唉呀！真黄！明天得狠批这本黄书！”

张老师皱起眉头，思索着。他回忆起自己中学时代的情况。那时候，团支部曾向班上同学们推荐过这本小说……围坐在篝火旁，大伙用青春的热情轮流朗读过它；倚扶着万里长城的城堞，大伙热烈地讨论过“牛虻”这个人物的优缺点……这本英国小说家伏尼契写成的作品，曾激动过当年的张老师和他的同辈人，他们曾从小说主人公的形象中，汲取过向上的力量……也许，当年对这本小说的缺点批判不够？也许，当年对小说的精华部分理解得也不够准确、不够深刻？……但，不管怎么说张老师想到这儿，忍不住对谢惠敏开口分辩道：

“这本《牛虻》可不能说成是黄书……”

谢惠敏的两撇眉毛险些飞出脑门，她瞪圆了双眼望着张老师，激烈地质问说：“怎么？不是黄书？！这号书不是黄书什么是黄书！”在谢惠敏的心目中，早已形成一种铁的逻辑，那就是凡不是书店出售的、图书馆外借的书，全是黑书、黄书。这实在也不能怪她。她开始接触图书的这些年，恰好是“四人帮”搞法西斯文化专制主义最凶的几年。可爱而又可怜的谢惠敏啊，她单纯地崇信一切用铅字新排印出来的东西，而在“四人帮”控制舆论工具的那几年里，她用虔诚的态度拜读的报纸刊物上，充塞着多少他们的“帮文”，喷溅出了多少戕害青少年的毒汁啊！倘若在谢惠敏最亲近的人当中，有人及时向她点明：张春桥、姚文元那两篇号称“阐述无产阶级专政理论”的“重要文章”大可怀疑，而“梁效”、“唐晓文”之类的大块文章也绝非马列主义的“权威论著”……那该有多好啊！但是，由于种种主观和客观上的原因，没有人向她点明这一点。她的父母经常嘱咐谢惠敏及其弟妹，要听毛主席的话，变认真听广播、看报纸；要求他们遵守纪律、尊重老师；要求他们好好学功课……谢惠敏从这样的家庭教育中受益不浅，具备了强烈的无产阶级感情、劳动者后代的气质；但是，在资产阶级、修正主义的白骨精化为美女现形的斗争环境里，光有朴素的无产阶级感情就容易陷于轻信和盲从，而“白骨精”们正是拼命利用一些人的轻信与盲从以售其奸！就这样，谢惠敏正当风华正茂之年，满心满意想成为一个好的革命者，想为共产主义这个大目标而奋斗，却被“四人帮”害得眼界狭窄、是非模糊。岂止《牛虻》这本书她会认为是毒草，我们这段故事发生的时候，《青春之歌》已经进行再版了，但谢惠敏还保持着“四人帮”揪出前形成的习惯——把那些热衷于传播“文艺消息”，什么又会有某个新电影上演啦，电台又播了个什么新歌呀这样的同学们，看成是“沾染了资产阶级思想”。就在前几天，她发现石红在自习课上看一本厚厚的小说，下课她便给没收了。那是1969年出版的《青春之歌》，她随便翻检了几页，把自己弄得心跳神乱——断定是本“黄书”，正想拿来上交给张老师，石红笑嘻嘻地一把抢了回去，还拍着封面说：“可带劲啦！你也看看吧！”结果两人争吵了一场。后来她忙着去团委开会，倒忘记向张老师反映了，没想到今天张老师竟比石红还要石红亲口否认这本外国“黄书”不黄！在谢惠敏心中，外国的“黄书”当然一律又要比中国的“黄书”更黄了。面对着这样一位张老师，她又联想起以前的许多细琐冲突来。于是，往常毕竟占据支配地位的尊敬之感，顿然减少了许多。她微微噘起嘴，飞走的眉毛落回来拧成了个死疙瘩。

这时候，石红写完“号角诗”，正准备给张老师和谢惠敏朗诵，突然听到张老师说：“这本《牛虻》可不能说成是黄书……”她这才知道那本被书原来就是《牛虻》，赶忙凑拢谢惠敏身边去看，谢惠敏大声质问张老师的话刚一出口，她便热情地晃动着谢惠敏胳膊说：“别这么说！我听爸爸妈妈讲过，《牛虻》这本书值得一读！这两天我正读《钢铁是怎样炼成的》，里头的保尔·柯察金是个无产阶级英雄，可他就特别佩服‘牛虻’……”石红早就想找本《牛虻》来看，一直没有借到，所以她从谢惠敏手中拿过书来翻动时，心里翻腾着强烈的求知欲：这本书写的是什么时代的事儿？故事发生在什么地方？“牛虻”究竟是个啥样的人？真的有值得佩服的地方吗？……当她把破书还到张老师手上时，不禁问道：“读这本书，该注意些啥？学习些啥？”谢惠敏咬住嘴唇，眯起眼睛，不满地望着石红，心里怦怦直跳。张老师翻动着那本饱经沧桑的《牛虻》，他本想耐心地对谢惠敏解释为什么不能把它算作“黄书”，但是这本书是从宋宝琦那儿抄出来的，并且，瞧，插图上，凡有女主角琼玛出现，一律野蛮地给她添上了八字胡须。又焉知宋宝琦他们不是把它当成“黄书”来看的呢？生活现象是复杂的。这本《牛虻》的遭遇也够光怪陆离了。也够光怪陆离了。对谢惠敏这样实际上还很幼稚的孩子。分析过于复杂的生活现象和精华糟粕并存的文艺作品，需要充裕的时间和适宜的场合。

想到这些，我们的张老师便把破旧的《牛虻》放入书包，和蔼地对谢惠敏说：“关于这本书的事儿，咱们改天再谈吧。看，快五点了，咱们赶紧听听石红写的‘号角诗’吧，听完分头按计划行动。”

石红念的诗，谢惠敏一句也没装进脑子里去。她痛苦而惶惑地望着映在课桌上的那些斑驳的树影。她非常、非常愿意尊敬张老师，可张老师对这样一本书的古怪态度，又让她不能不在心里嘀咕：“还是老师呢，怎么会这样啊？！……”

六

五点刚过，张老师骑车抵达宋家的新居。小院的两间东屋里东西还来不及仔细整理，显得很凌乱。比如说，一盆开始挂花的“令箭”，就很不恰当地摆放在歪盖着塑料布的缝纫机上。

宋宝琦的母亲是个售货员，这天正为搬家倒休，忙不迭地拾掇着屋子。见张老师来了，她有点宽慰，又有点羞愧，忙把宋宝琦从堂屋喊出来，让他给老师敬礼，又让他去倒茶。我们且不忙随张老师的眼光去打量宋宝琦，先随张老师坐下来同宋宝琦母亲谈谈，了解一下这个家庭的大概。

宋宝琦的父亲在园林局苗圃场工作，一直上“正常班”，就是说，下午六点以后就能往家奔了。但他每天常常要八九点钟才回家。九点钟才回家。为什么？宋宝琦母亲说起来连连叹气，原来这些年他养成了个坏习惯：下班的路上经过月坛，总要把自行车一撂，到小树林里同一些人席地而坐，打扑克消遣，有时打到天黑也不散，挪到路灯底下接茬打，非得其中有个人站起来赶着去工厂上夜班，他们才散。

显然，这样一位父亲，既然缺乏丰富而有意义的精神生活，那么，对宋宝琦的缺乏教育管束也就可想而知了。至于当母亲的，从她含怨的叙述中，不难看出她是怎样自食了溺爱与放任独生子的苦果。

绝不要以为这个家庭很差劲。张老师注意到，尽管他们还有大量的清理与安置工作，才能使房间达到窗明几净的程度，但是一张镶镜框的毛主席像，却已端正地挂到了北墙，并且，一张稍小的周总理像，装在一个自制的环绕着银白梅花图案的镜框中，被郑重地摆放在了小衣柜的正中。这说明这对年近半百的平凡夫妇，内心里也涌荡着和亿万人民相同的感情波澜。那么，除了他们自身的弱点以外，谁应当对他们精神生活的贫乏负责呢？……

差一刻六点的时候，张老师请当母亲的尽管去忙她的家务事，他把宋宝琦带进里屋，开始了对小流氓的第一次谈话。

现在我们可以仔细看看宋宝琦是个什么模样了。他上身只穿着尼龙弹力背心，一疙瘩一疙瘩的横肉，和那白里透红的肤色，充分说明他有幸生活在我们这个不愁吃不愁穿的社会里，营养是多么充分，躯体里蕴藏着多么充沛的精力。唉，他那张脸啊，即便是以经常直视受教育者为习惯的张老师，乍一看也不免浑身起栗。并非五官不端正，令人寒心的是从面部肌肉里，从殴斗中打裂过又缝上的上唇中，从鼻翅的神经质扇动中，特别是从那双一目了然地充斥着空虚与愚蠢的眼神中，你立即会感觉到，仿佛一个被污水泼得变了形的灵魂，赤裸裸地立在了聚光灯下。

经过三十来个回合的问答，张老师已在心里对宋宝琦有了如下的估计：缺乏起码的政治觉悟，知识水平大约只相当初中一年级程度，别看有着一身犟肉，实际上对任何一种正规的体育活动都不在行。张老师想到，一些满足于贴标签的人批判起宋宝琦这样的小流氓来，一定会说他是“满脑子资产阶级思想”。但是，随着进一步地询问，张老师便愈来愈深切地感到，笼统地说宋宝琦这样的小流氓具有资产阶级思想，那就近乎无的放矢，对引导他走上正路也无济于事。

宋宝琦的确有严重的资产阶级思想，但究竟是哪一些资产阶级思想呢？

资产阶级标榜“自由、平等、博爱”，讲究“个人奋斗”、“成名成家”，用虚伪的“人性论”掩盖他们追求剥削、压迫的罪行。而宋宝琦呢？他自从陷入了那个流氓集团以后，便无时无刻不处于森严的约束之中，并且多次被大流氓“扇耳光子”与用烟头烫后脑勺。他愤怒吗？反抗吗？不，他既无追求“个性解放”、呼号“自由、平等”的思想行动，也从未想到过“博爱”；他一方面迷信“哥儿们义气”，心甘情愿地替大流氓当“炊拨儿”，另一方面又把扇比他更小的流氓耳光当作最大的乐趣。什么“成名成家”，他连想也没有想过，因为从他懂事的时候起，一切专门家科学家、工程师、作家、教授……几乎都被林贼、“四人帮”打成了“臭老九”，论排行，似乎还在他们流氓之下，对他来说，何羡慕之有？有何奋斗而求之的必要？资产阶级的典型思想之一是“知识即力量”，对不起，我们的宋宝琦也绝无此种观念。知识有什么用？无休无止地“造反”最好。张铁生考试据说得了个“大鸭蛋”，不是反而当上大官了吗？……所以，不能笼统地给宋宝琦贴上个“满脑袋资产阶级思想”的标签便罢休，要对症下药！资产阶级在上升阶段的那些个思想观点，他头脑里并不多甚至没有，他有的反倒是封建时代的“哥儿们义气”以及资产阶级在没落阶段的享乐主义一类的反动思想影响……请不要在张老师对宋宝琦的这种剖析面前闭上你的眼睛，塞上你的耳朵，这是事实！而且，很遗憾，如果你热爱我们的祖国，为我们可爱的祖国的未来操心的话，那么，你还要承认，宋宝琦身上所反映出的这种问题，在一定程度上还并不是极个别的！请抱着解决实际问题、治疗我们祖国健壮躯体上的局部痈疽的态度，同我们的张老师一起，来考虑考虑如何教育、转变宋宝琦这类青少年吧！

张老师从书包里取出那本饱遭蹂躏的小说来，问宋宝琦：“这本书叫什么名儿？你还记得吗？”

宋宝琦刚经历过专政机关严厉的审讯和带强制性的训斥，那滋味当然远比一个班主任老师的询问与教育难受，所以，他尽可能用最恭顺的态度回答说：“记得。这是牛亡。”他不认识虻字，照他识字的惯例，只读一半。

“不是牛亡，是‘牛虻’。你知道这两个字是什么意思吗？”

面部没有表情，两眼直愣愣地望着对面在窗玻璃外扑腾的一只粉蝶，极坦率地回答说：“不懂。”

“那么，这本书你究竟读完了没有呢？”

“翻了两篇。我不懂。”

“不懂，你要它干什么呢？这本书是打哪儿来的呢？”

“我们偷的。”

“打哪儿偷的呢？偷它干什么呢？”

“打原来我们学校废书库偷的。听说那里头的书都是不让借、不让看的。全是坏书。我们撬开锁，偷了两大抱。我们偷出来为的是拿去卖。”

“怎么没把这本卖了呢？”

“后来都没卖。我们听说，盖了图书馆戳子的书，我们要是卖去，人家就要逮着我们。”

“你们偷出来的书里，还有些什么呢？你还能说出几个名儿来吗？”

“能！”宋宝琦为能表现一下自己并非愚钝无知感到非常高兴，他第一次有了专注的神情，眨着眼，费劲地回忆着：“有《红岩》，有……《和平与战争》，要不，就是《战争与和平》，对了，还有一本书特怪，叫……《新嫁车的词儿》……”

这让张老师吃了一惊。他想了想，掏出钢笔在手心里写了《辛稼轩词选》几个字，伸出去让宋宝琦看，宋宝琦赶忙点头：“就是！没错儿！”

张老师心里一阵阵发痛。几个小流氓偷书，倒还并不令人心悸。问题是，凭什么把这样一些有价值的，乃至于非但不是毒草，有的还是香花的书籍，统统扔到库房里锁起来，宣布为禁书呢？宋宝琦同他流氓伙伴堕落的原因之一，出乎一般人的逻辑推理之外，并非一定是由于读了有毒素的书而中毒受害，恰恰是因为他们相信能折腾就能“拔份儿”，什么书也不读而坠落于无知的深渊！

张老师翻动着《牛虻》，责问宋宝琦：“给这插图上的妇女全画上胡子，算干什么呢？你是怎样想的呢？”

宋宝琦垂下眼皮，认罪地说：“我们比赛来着，一人拿一本，翻画儿，翻着女的就画，谁画得多，谁运气就好……”

张老师愤然注视着宋宝琦，一时说不出话来。宋宝琦抬起眼皮偷觑了张老师一眼，以为一定是自己的态度不够老实，忙补充说：“我们不对，我们不该看这黄书……我们算命，看谁先交上女朋友……我们……我再也不敢了！”他想起了在公安局里受审的情景，也想起了母亲接他出来那天，两只红红的、交织着疼和恨的眼睛。

“我们不该看这黄书”这句话像鼓槌落到鼓面上，使张老师的心“咚”地一响。怪吗？也不怪谢惠敏那样品行端方的好孩子，同宋宝琦这样品质低劣的坏孩子，他们之间的差别该有多么大啊，但在认定《牛虻》是“黄书”这一点上，却又不谋而合——而且，他们又都是在并未阅读这本书的情况下，“自然而然”地作出这个结论的。这是多么令人震惊的一种社会现象！谁造成的？谁？

当然是“四人帮”！

一种前所未及的，对“四人帮”铭心刻骨的仇恨，像火山般喷烧在张老师的心中，截至目前为止，在人类文明史上，能找出几个像“四人帮”这样用最革命的“逻辑”与口号，掩盖最反动的愚民政策的例子呢？

望着低头坐在床上，两只肌肉饱满的胳膊撑在床边，两眼无聊地瞅着互相搓动的、穿着白边懒鞋的双脚，拒绝接受一切人类文明史上有益的知识和美好的艺术结晶的这个宋宝琦，张老师只觉得心里的火苗扑腾扑腾往上窜，一种无形的力量冲击着他的喉头，他几乎要喊出来——

救救被“四人帮”坑害了的孩子！

七

春天日短。一种社会现象！谁造成的？当远处电报大楼的七记钟声，悠悠地随风飘来时，暮色已经笼罩着光明中学附近的街道和胡同。

张老师推着自行车，有意识拐进了免费出入、日夜开放的小公园里。他寻了一条偏僻处的长椅，支上车，坐到长椅上，燃起一支香烟，眉尖耸动着，有意让胸中汹涌的感情波涛，能集中到理智的闸门，顺合理的渠道奔流出去，化为强劲有力的行动，来执行自己这班主任的职责。

晚风吹动着一直拖到椅背上来的柳丝，身上落下了一些随风旋转而来的干榆钱，在看不见的地方，丁香花开了，飘来沁人心脾的芳馥气息。

同宋宝琦本人及其家庭的初步接触，竟将张老师心弦中的爱弦和恨弦拨动得如此之剧烈，颤动得他竟难以控制自己。他恨不能立时召集全班同学，来这长椅前开个班会。他有许多深刻而动人的想法，有许多诚挚而严峻的意念，有许多倾心而深沉的嘱托、建议、批评、引导和号召，就在这个时候，能以最奔放的感情，最有感染力的方式，包括使用许多一定能脱口而出的丰富而奇特的、易于为孩子们所接受的例证和比喻，淋漓尽致地表达出来……

他感到，他比以往任何时候，都更爱我们亲爱的祖国。想到她的未来，想到她的光明前景，想到本世纪结束、下世纪开始时，“四化”初具规模的迷人境界，他便产生了一种不容任何人凌辱、戏弄祖国，不许任何人扼杀、窒息祖国未来的强烈感情！他想到自己的职责人民教师，班主任，他所培养的，不要说只是一些学生，一些花朵，那分明就是祖国的未来。就是使中华民族在这九百六十万平方公里的土地上，强盛地延续下去，发展下去，屹立于世界民族之林的未来！

他感到，他比以往任何时候，都更深刻地仇恨“四人帮”这伙祸国殃民的蟊贼。不要仅仅看到“四人帮”给国民经济所造成的有形危害，更要看到“四人帮”向亿万群众灵魂上泼去的无形污秽；不要仅仅注意到“四人帮”培养出了一小撮“头上长角、浑身长刺”的张铁生式五类，还要注意到，有多少宋宝琦式的“畸形儿”已经出现！而且，甚至像谢惠敏这样本质纯正的孩子身上，都有着“四人帮”用残酷的愚民政策所打下的黑色烙印！“四人帮”不仅糟蹋着中华民族的现在，更残害着中华民族的未来！

对丑类的恨加深着对人民的爱，对人民的爱又加深着对丑类的恨。当爱和恨交织在一起的时候，人们就有了为真理而斗争的无穷勇气，就有了不怕牺牲去夺取胜利的无穷力量。

张老师陡然站了起来，他看看表，七点一刻。他想到了晚饭。不是他感到饿了，考虑到自己该回家吃饭去，他简直把自己也需要吃晚饭这件事忘到爪哇岛去了。他是打算亲自到几个同学家里去，了解一下他们对宋宝琦来初三（3）班的反应。而这个时候，同学们家里一定都在吃饭，吃饭的时候进行家访是不适宜的。他想了想，便背着手，在小公园的树林子里踱起步来，同时确定下来，七点半左右再离开这里……

丁香花的芳馨一阵阵更加浓郁。浓郁的香气令人联想起最称心如意的事。张老师想到“四人帮”已经被扫进了垃圾箱，想到党中央已经在短短的半年内打出了崭新的局面，想到亲爱的祖国不但今天有了可靠的保证，未来也更加充满希望，他便感到宋宝琦也并非朽不可雕的烂树，而谢惠敏的糊涂处以及对自己的误解与反感，比之于蕴藏在她身上的优良素质和社会主义积极性来，简直更不是什么难以消融的冰雪了。

八

张老师推车走出小公园时，恰巧遇上了提着鼓囊囊的塑料包，打从小公园门口走过的尹老师。

尹老师大吃一惊：“俊石，你怎么还有逛公园的雅兴？”

张老师笑了笑，没有解释。他也并不问尹老师从哪儿来，到哪儿去。他知道，尹老师坚持有一个多月了，每天下午四点以后，除了在学校组织一些数学后进的学生补课以外，还要轮流到他们家里去进行个别辅导。他熟悉尹老师的脾性，特别是“四人帮”控制着文教战线的时期，他往往牢骚满腹，对教育部不满，对学校领导不满，对学生不满，对家长不满。倘是一个局外人，听了他那些愤激之情溢于言表的话，一定会以为他是个惯于撂挑子、甩袖子的人；其实尹老师牢骚归牢骚，工作归工作，不管是什么时候，不管遇上什么打击、障碍、困难和挫折，他从未放弃过辛勤的教学劳动。就是在“四人帮”把学生中的无政府主义思潮煽动得达于极点，课堂里往往乱得像一锅煮沸的粥时，他虽然能在办公室里把牢骚话说到“咱们干脆罢教”的地步，一听到上课铃响，却又立即奔赴教室，仍然竭尽全力地用粉笔敲着黑板，用劝导、吆喝、说服、恫吓来让同学们听他讲述那些方程式和多面体。

张老师知道这是他已经结束了个别辅导，要奔赴胡同外的汽车站，乘车回家去了。他既然是忙完了工作，那么，牢骚一定是一触即发。果不其然，不等张老师开口，他便拍着张老师自行车的车座子，长叹一声说：“‘四人帮’给咱们造成了些什么样的学生啊！你想想看吧，我教的是初三了，可刚才却还在为两个学生翻来覆去地讲勾股定理……你比我更有‘福气’摊上个‘新文盲’宋宝琦！说实在的我不能理解你，眼下是‘百废待举’，该做的事情那么多，而光是今天一个下午，你就为收留一个小流氓耗费了那么多心血，犯得上吗？！让宋宝琦滚蛋吧！公安局不收，让他回原来的学校！原来的学校不要，就让他在家呆着！……”

张老师诚恳地对他说：“经过这一下午，我越来越自觉地认识到，症结不在是不是一定要收下来宋宝琦。的确，也许应当为他这样的学生专门办一种学校，或者把他同相似的学生专门编成一班，要不按他的文化程度，干脆把他降到初一去从头学起……但这都不是主要的。症结在哪里呢？今天下午围绕着收留宋宝琦发生的这一件又一件的事情，好比一面镜子，照出了四人帮糟害我们下一代的罪恶；有些‘四人帮’的流毒和影响，我以前或者没有觉察出来，或者没有像今天这样感到触目惊心，我想到了很多、很多……达磊，现在是1977年的春天，这是多么美好、多么幸福的春天啊，可它又是要求我们迎向更深刻的斗争、付出更艰苦的劳动的春天，因而也是要求我们更加严格的一个春天！朝前看吧，达磊！……”

尹老师从这简单的话语里不可能感受到张老师已经感受到的一切，但是，当他同张老师那饱含着醒悟、深思、信心、力量的动人目光相遇时，他的牢骚和烦躁情绪顿时消失了。1977年春天的晚风吹拂着这两个平平常常、默默无闻的人民教师，有那么一两分钟，他们各自任自己的思绪飞扬奔腾，静静地没有交谈。

张老师想到，过几天，针对尹老师思想方法偏于简单和急躁的缺点，一定要好好地找他谈一谈：感情绝不能代替政策；迫切希望革命事业向前迈进的心情，不能简单地表现为焦躁和牢骚；锲而不舍地坚持斗争的同时，又应当对事物的发展抱相应的积极等待的态度；对宋宝琦这类小流氓的厌恨，还可以转化为对祖国的幼苗遭到“四人帮”戕害而生的怜惜和疼爱……总之，要好好地同尹老师谈谈哲学，谈谈辩证法，谈谈现在和未来，谈谈爱和恨，谈谈生活和工作，乃至于谈谈《红岩》和《牛虻》……

远处又飘来了报告七点半已到的一记钟声，张老师收回沸腾的思绪，拍拍，尹老师肩膀说：“咱俩另找个时间好好聊聊吧。我还要到几个同学家里去一下。”

“快去石红那儿吧，”尹老师忽然想起，赶紧告诉张老师，“我刚从他们楼里出来，听我那班的一个同学说，谢惠敏跟石红吵了一架，你快去了解一下吧！”

张老师心里一震，他立即骑上车，朝石红家所在的居民楼驰去。

九

石红的爸爸是区上的一个干部，妈妈是个小学教师。两口子都是在轰轰烈烈的“四清”运动里入党的；从入党前后起，他们形成了一种很好的习惯，就是坚持学习马列、毛主席著作，他们书架上的马恩、列宁四卷集，《毛选》四卷和许多厚薄不一的马列、毛主席著作单行本，书边几乎全有浅灰的手印，书里不乏折痕、重点线和某些意味着深深思索的符号……石红深深受着这种认真读书的气氛的熏陶，她也成了个小书迷。

石红是幸运的。“晚饭以后”成了她家的一个专用语，那意味着围坐在大方桌旁，互相督促着学习马列、毛主席著作，以及在互相关怀的气氛中各自做自己的事。爸爸有时是读他爱读的历史书，妈妈批改学生的作文。石红抿着嘴唇、全神贯注地思考着一道物理习题或是解着一个不等式……有时一家又在一起分析时事或者谈论文艺作品，父亲和母亲，父母和女儿之间，展开愉快的、激烈的争论。即便在“四人帮”推行法西斯文化专制主义最凶狠的情况下，这家人的书架上仍然屹立着《暴风骤雨》、《红岩》、《茅盾文集》、《盖达尔选集》、《欧也妮·葛朗台》、《唐诗三百首》……这样一些书籍。

张老师曾经把石红通读过的《共产党宣言》、《马克思主义的三个来源和三个组成部分》和《毛选》四卷，以及她的两本学习笔记，拿到班会上和家长会上传看过，但是，他觉得更可欣喜的是，这孩子常常能够根据马列主义、毛泽东思想的原则去思考、分析一些问题，这些思考和分析，往往比较正确，并体现在她积极的行动中。

我们这个故事发生的那一天，张老师敲开石红他们家那个单元的门后，发现迎门的那间屋里，坐满了人。石红坐在屋中饭桌边，正朗读着一本书。另外有五个女孩子，也都是张老师班上的学生，散坐在屋中不同的部位，有的右手托腮、睁大双眼出神地望着石红；有的双臂折放在椅背上，把头枕上去；有的低首揉弄着小辫梢……显然，她们都正听得入神。根据下午谢惠敏的汇报，这恰恰是那几个因为害怕或赌气，而扬言明天宋宝琦去了她们就不去上学的同学。

石红读得专心致志，没有发觉张老师的到来；有两三个女孩子抬眼瞧见了张老师，也只是羞涩地对他笑笑，没有出声叫他“张老师”，那显然并非是忘记了礼貌，而是不忍心中断她们已经沉浸进去的那个动人的故事。

来开门的石红妈妈把张老师引到隔壁屋里，请他坐下，轻声地解释说：“孩子们正在读鲁迅翻译的《表》……”

《表》是苏联作家班台莱耶夫在十月革命后不久写的一部儿童作品。它描写了一个流浪儿在苏维埃教养院里的转变过程。在苏维埃教养院里的转变过程。鲁迅先生当年以巨大的热情翻译了它。张老师虽然好多年没翻过这本书了，但石红妈妈一提，这本书里的一些人物形象和片断情节，顿时涌现在张老师的脑海中。张老师在短短的几分钟里，已经猜测出石红家里出现这种局面的来龙去脉了。果然，石红妈妈告诉他：“石红一回家就把宋宝琦的事跟我说了。吃晚饭的时候她一个劲眨巴眼睛，洗碗的时候她跟我商量：‘妈妈，要是我约上谢惠敏，把那些害怕、赌气的同学们都找来，读读《表》这本书怎么样呢？’我很赞成。我跟她说：‘有党的领导，有社会主义制度，只要老师、同学们发挥集体的作用，小流氓也是能转变的啊！’后来她就找同学们去了，只是谢惠敏不知怎么没有来……”

正说着，石红读完一个段落，知道张老师来了，拿着书跳进里屋，高兴地嚷：“张老师，你来得正好！快给我们讲讲吧！”

张老师被她拉到了外屋，几个小姑娘都站起来叫“张老师”，不等他发话，各种各样的问题就争先恐后地提出来了：

“张老师，这本书我们能读吗？”

“张老师，这本书里的小流氓，怎么又惹人生气，又惹人同情呢？”

“张老师，谢惠敏说我们读毒草，这本书能叫毒草吗？”

“张老师，您见着宋宝琦了吗？跟这本书的小流氓比，他好点儿还是坏点儿呢？”

……

张老师且不忙回答，却反问她们：“谢惠敏为什么不来呢？石红跟她吵嘴啦？你们应该齐心合力把她拉来啊！”

小姑娘们激动地同声回答起来，吵成一片，结果一句也听不清，还是石红让大伙静下来，解释说：“拉不来啊！除非现在报上专门登篇文章，宣布《表》是一本好书……”

原来，石红刚一找到谢惠敏的时候，谢惠敏见石红工作这么积极，还挺高兴。可是一听是找到一块儿去读一本外国小说，她就打心眼里反感。石红跟她解释，这本书挺不错，读了对解决那几个同学的问题能有启发……谢惠敏没等石红说完，立刻反问道。“报上推荐过吗？”这一问使石红呆住了，半晌才回答：“没推荐呢。”“读没推荐的书不怕中毒吗？现在正反腐蚀，咱们干部可不能带头受腐蚀呀！……”谢惠敏一脸警惕的神色警告着石红，不仅自己拒绝参加这个活动，还劝说石红不要“犯错误”……这把石红惹恼了，同她吵了一场，但临走时仍然拉着她的手，央告她去“听听再说”，她把石红的手拂开了。石红走后，谢惠敏激动地走出屋子，晚风吹拂着她火烫的面颊，她很痛苦，上牙把下唇咬出了很深的印子……

在石红家里，接下来出现了这样的场面：张老师坐在桌边，石红和那几个小姑娘围住他，师生一起无拘无束地谈了起来，从《表》谈到苏联，从《表》里的流浪儿谈到宋宝琦；从应当怎样改造小流氓谈到大多数小流氓是能够教育好的，最后渐渐进到明天以后班里面临的新形势，张老师笑着问那几个小姑娘："怎么样，你们还罢课吗？"

她们互相交换完眼色，便都望着张老师，几乎是异口同声地说："不罢啦！"

张老师离开石红家的时候，满天的星斗正在宝蓝色的晚空中熠熠闪光。

用不着思索，蹬上自行车以后，他自然而然地向谢惠敏家里驰去。说实在的，当他同石红和那几个小姑娘议论时，谢惠敏无时不在他的心中；他疼爱谢惠敏，如同医生疼爱一个不幸患上传染病的健壮孩子；他相信，凭着谢惠敏那正直的品格和朴实的感情，只要倾注全力加以治疗，那些"四人帮"在她身上播下的病菌，是一定能够被杀灭的。

离谢惠敏的家越近，张老师心上的内疚感便越沉重。过去，对谢惠敏成为这样一种状态，他总觉得自己难以承担责任。他在接班不久的情况下，就向谢惠敏含蓄地指出过，不要只是学习零星的语录，不要迷信解释领袖思想的文章，要认真学习原著，要独立思考……但谢惠敏并未领悟。今天，张老师有了新的感触，他责问自己，虽然去年十月以前的那个学期里，是个乌云压顶的形势，可是，难道自己就不能更勇敢、更坚决地同荒诞、反动的东西作斗争吗？就不能更直截了当地、更倾注全力地同谢惠敏谈心，引导她擦亮眼睛、识别真假吗？……

快到谢惠敏家的门口时，一个计划已在张老师心中初现轮廓：他今天要把书包中的那本《牛虻》留给谢惠敏，说服她去读读这本书。允许她对这本书发表任何读后感，然后，从分析这本书入手，引导谢惠敏运用马列主义、毛泽东思想的立场、观点、方法去解答一系列互相关联的问题：应当怎样认识生活？应当怎样了解历史？应当怎样对待人类社会产生的一切文明成果？应当怎样批判过去文化遗产中的糟粕而吸取其精华？应当怎样全面地、辩证地看问题？应当怎样辨别香花和毒草，识别真假马列主义？应当使自己成为一个什么样的人？应当怎样去为祖国的"四化"，为共产主义的灿烂未来而斗争？……

张老师心中掀动着激昂的感情波澜。当他刹住车，在谢惠敏家门口站定时，心中的计划进一步明朗起来：不仅要从这件事入手，来帮助谢惠敏消除“四人帮”的流毒，而且，还要以揭批“四人帮”为纲，开展有指导的阅读活动，来教育包括宋宝琦在内的全班同学……他决定明天一早就去请示党支部，会获得支持吗？他眼前浮现出老曹在支部会上目光灼灼地发言的面影：“现在，是真格儿按毛主席的思想体系搞教育的时候了！”他正是要“真格儿”地大干一场啊，一定会得到组织支持的！他心中又闪过了一些老师可能发出的疑问，于是，他决定，要争取在教师会上发言，阐述自己的想法：现在，我们不仅要加强课堂教学，使孩子们掌握好课本和课堂上的科学文化知识，获得德、智、体全面发展；不仅要继续带领他们学工，学农，把理论和实践结合起来；而且，还要引导他们注目于更广阔的世界，使他们对人类全部文明成果产生兴趣，具有更高的分析能力，从而成为社会主义革命和社会主义建设的更强有力的接班人……

这时，春风送来沁鼻的花香，满天的星星都在眨眼欢笑，仿佛对张老师那美好的想法给予着肯定与鼓励……

狗日的粮食

刘恒

在20世纪80年代文学向历史、生活与人性深度掘进的创作背景上，《狗日的粮食》以对底层人生存的审视，出人意表而有力地拓展了小说的表现领域与精神空间。杨天宽和他的女人“瘿袋”为生命本能所驱使，在食与色的循环中演出的生存悲剧，仿佛是无法抗拒的历史宿命，让人感到沉重而悲凉。讲述生命为存活与延续所做的奋斗和挣扎，又是对生命的本质与底蕴的探问和揭示，引人慨叹沉思。小说对悲剧主人公生存情态的准确摹写尤为成功，体现了作家的悲悯情怀和高超的叙事才能。

毕光明

《中国》1986年9期

日后人们记起杨天宽那天早晨离开洪水峪的样子，总找不到别的说法儿。他们只记住了一件事，不知道是不是顶重要的一件事。

“他背了二百斤谷子。”

这没滋没味儿的话说了足有三十年。它显不出味道是因为那天早晨以后的日子味道太浓的缘故。

杨天宽是趟着雾走的，步子很飘。他背着花篓，篓里竖着粮袋，鼓的。这些都陷入白烟，人们疑心他背着空篓。但他前几日的确跟各家借过粮食，谷子的用处也吞吐着说了。他走得健就是因了这个。

人们却只说“他背了二百斤谷子”。把一个火烧火燎的光棍儿汉说得丢了分量。

杨天宽驴一样把谷子背到那地方，脸面丢尽了。不会说话，只会吐气，眼一劲儿翻白，晕噎中那个男人问他：“新谷？”

他点头，甩一帘汗下来。那人身后立一匹矮骡儿，也不计分量，只掂了掂就用肩一顶，将粮袋拱到骡鞍上。

“妥了，兄弟歇着。”

那人一笑，便牵了骡走。骡屁股后面就移出了一个人，站在那儿瞭他。杨天宽只对了一眼，不敢看了，有心去宰走了的男人，又没有力气。

他叹了一口气。这声长叹便成了他永远扔不脱的话柄。

丑狠了。二百斤谷子换来个瘿袋。值也不值？他思来想去，觉得还是值。总归是有了女人。于是他领了女人上路，光棍脑袋细打路的尽头那盘老炕的主意。事情比他想的来得快，女人有火。

“你的瘿袋咋长的？”出了清水镇的后街，杨天宽有了话儿。

“自小儿。”

“你男人嫌你……才卖？”

“我让人卖了六次……你想卖就是七次，你卖不？要卖就省打来回，就着镇上有集，卖不？”

“不，不……”女人出奇的快嘴，天宽慌了手脚，定了神决断，“不卖！”

“说的哩。二百斤粮食背回山，压死你！”女人咯咯笑着蹿前边去，瘿袋在肩上晃荡，天宽已不在意，只盯了眼边马似的肥臀和下方山道上两只乱掀的白薯脚。

“瘿袋不碍生？”天宽有点儿不放心。

“碍啥？又不长裆里……”女人话里有骚气，搅得光棍儿心动，“要啥生啥！信不？”

“是哩是哩！”

最后是女人到坡下小解，竟一蹲不起，让天宽扛到草棵子里呼天叫地地做了事。进村时女人的瘿袋不仅不让天宽丢脸，他倒觉得那是他舍不下的一块乖肉了。

那时分地不久。杨天宽屋里添了人，地数就不够，村里把圐圙坨两亩胡萝卜地拨给了他。地很肥，可是路远，是日本人在的时候游击队烧荒撂下的，多年不种了。天宽性子钝，人人不要的地给了他，也嚼不出啥，苦着脸忍了。女人却不，爬到猪棚上骂街。句句骂的猪，可句句人不要听，唬得村干部谁也不敢露脸。

“猪哩，哪个托生的你呀？你前辈造了孽，欺负我家男人，今世你可美了吧？哼哼啥，看老娘拉屎给你吃！你是个臭了心肝的……”

人们只知道天宽娶了个瘿袋婆，丑得可乐，却不想生得这般俐口，是个惹不得的夜叉，都不敢来撩拨了。天宽也由此生出一些怕来，女人的瘿袋越骂越亮，圆圆的像个雷，他便矮下三寸去，觉着自己做个男人确是活得不带劲，比不上这娘们儿豁爽。他灶间里舀一瓢水，哀怯怯地劝她。

“累着，行啦……下来喝。”

“你哑啦？尿挤不出一星，屁崩不来一个，屄的你！我下去你上来，你给我吆喝，给我日他欺人精的祖宗……”

天宽搀女人进屋，愁得苦。这女人是个混种，以后的日子怕难得好过。但是，凭怎么骂，女人还是女人，身条儿和力气都不缺，炕上也做得地里也做得，他要的不就是这个么。

女人果然勤快。扛了镢头、吃食，在囫囵坨搭个草棚，五宿不下山。白天翻坡地的黑土，两口子一对儿光膀，夜里草铺上打挺儿，四条白腿缠住放光。不下三日天宽就蔫了，女人却虎虎不倦，净了地留丈夫在棚里养精，独自下山背回一篓一篓的山药种。种块切得匀，拌了烧透的草灰，两拃一颗掩进松软的泥土。这女人很会做。

秋后天宽家收的山药吃不清了。叔伯兄弟杨天德口儿众，四个娃儿，谷子又没有长好，天宽有心接济他。

“屁话！饱日不思饥，你不怕我还怕日后饿煞哩！他吃自己种去……”

女人挡了他，在屋后掘了一口大窖，将黄皮山药鸡蛋似的堆成小山，封了。

她嘴伤人，心也伤人。天宽在乡人面前抬不起头，但他心里有数，女人待他不薄。两口子熬日月，有这个够了。

以后他们有了孩儿。头一个生下来，女人就仿佛开了壳，一劈腿就掉一个会哭会吃的到世上。直到四十岁她怀里几乎没短过吃奶的崽儿，总有小小的黄口叼她小萝卜似的奶头儿，吃饱了就在瘿袋上磨嫩牙，口水、鼻涕蹭她一脖儿。

她奶水一向充足。伏天吃饭，天宽蹲北屋檐下，她在灶间门口，孩儿玩她奶子弄不对付了，只需一压，一股白溜溜的长线能嗖地挂到天宽碗里去。两口子闲时打趣，奶柱儿时时滋得天宽眼珠麻痛。这些都成了男人的骄傲。

但是，女人到底不是奶牛，孩儿们也不是永远不大。他们要吃，孩儿们也要吃，大小八张嘴，总得有像样的东西来填塞。天宽起初只尝到养孩儿的乐趣，生得一多就明白自己和女人一辈子只在打洞，打无底洞。一个孩儿便是一个填不满的黑坑。他们生下第三个孩子的时候，锅里的玉米粥就稀了，并且再没有稠起来，到第四个孩儿端得住碗、捏得拢筷子，那粥竟绿起来，顿顿离不开叶子了。

孩儿们名字却好，都是粮食。大儿子唤作大谷，下边一溜儿四个女儿，是大豆、小豆、红豆、绿豆，煞尾的又是儿子，叫个二谷。两谷夹四豆，人丁兴旺。可一旦睡下来，撂一炕瘪肚子，天宽和女人就只剩下叹息。

几个孩子舌头都好，长而且灵活。每日餐后他们的母亲要验碗，哪个留下渣子就逃不脱骂和揍："就你短舌，舔喽！"

脑勺上挨一掌，腮上掉着泪，下巴上挂着舌，小脸儿使劲儿往碗里挤，兄妹几个干得最早、最认真的正经事就是这个。外人进了天宽家，赶巧了能看见八个碗捂住一家人的脸面，舌面在粗瓷上的摩擦声、吧嗒声能把人吓一大跳。

天暗得看不清人形了，天宽常常顶着星星去串户。他拎一个小口袋，好像提拎着自己的心，又羞又慌。碰上不肯借粮给他的，他就恨不得整个儿钻到破口袋里去。洪水峪奸人少，没有借过粮给天宽的人不多，天德要算一个。

"你借不给，让瘿袋来！"

叔伯兄弟说出这个，天宽料定早年山药蛋的账还未结，只好讷讷地走开。传话给女人，她就骂："这算一个爷的种？日歪了的！"

出不够气，她便到天德菜园儿里将白日瞄下的一颗南瓜摘来，放了盐煮。待天德在菜园儿里揪着秃秧跳脚，天宽的孩儿们已经拉出了南瓜子。

一家人就这么活。

女人姓曹，叫什么谁也不知。她对人说叫杏花，但没有人信。西水那一带荒山无杏，有杏的得数洪水峪，杏花是她嫁来自己捡的名儿，大家还都说她不配，因此不叫。人们只叫她脖上的那颗瘤——瘿袋！

她的西水口音短促、尖厉，说快了能似公鸡踩蛋儿，咕咕咯咯的满是傲气，人们觉得这种嘴只配骂人。她又的确会骂，骂起来脏字连珠，恍惚间一跃而为男人，又比一般男人多着胆量和本事能让对手或与对手有关的一切女人受辱，不管她活着还是在坟里。

这里男人打老婆是一顿饭，常事。她来了就造出天宽这𡳞货，让老婆揪住耳朵在院里打悠儿。这又是西水的习气，人们简直近不得她，当她是西水的母虎。

生红豆那年，队里食堂塌台，地里闹灾，人眼见了树皮都红，一把草也能逗下口水。恰逢一小队演习的兵从山梁上过，瘿袋抱着刚出满月的红豆跟了去，从驮山炮的骡子屁股下接回一篮热粪。天宽见它在太阳地儿里晒，真把它当了粪，拎起来倒猪圈里。瘿袋见了空篮，从屋里跳出来就给他俩嘴巴："瞎了你的！我闻骡子屁都不嫌，你看一眼就嫌它？你自已拉！自已拉一锅能熬的来，能煮的来……"

谷子豆子们看着父亲让巴掌抡得转圈儿，好一阵挣扎才稳下来。墙头上有几个脑袋在笑，叹气。她不是母虎又是什么！但人们又发觉她夹着细筛到河里去了。

骡粪沾了猪圈的脏味儿，淘得不能不细。草根儿和渣子顺水漂去，余下的是整的碎的玉米粒儿，两把能攥住。一锅煮糟的杏叶上就有了金光四射的粮食星星。一边搅着舌头细嚼，一边就觉得骡儿的大肠在蠕动，天宽家吃得惬意。女人是好的，天宽用筷子在打肥的腮上拨，这么想。乡人们只好沉默，百孬不加一好，这娘儿们坏得不透。

那年头天宽家坟场没有新土，一靠万幸，二靠这脏嘴凶心的女人。

日子苦，但让她得些怜悯也难。她做活不让男人，得看在什么地界儿。家里不消说了，推碾子腰顶主杠，咚咚地走，赛一头罩眼牲口，能把拉副杠的小儿小女甩起来；从风火铳背柴到家里，天宽一路打六歇，她两歇便足了，柴捆壮得能掩下半堵墙；担水一晨一夕十五担，雨雪难阻，五担满自家的缸，十担挑给烈属、军属，倒不是她仁义，而是每日四个工分诱着。地里就不同了，一上工立即筋骨全无，成了出奇的懒肉。别人锄两梯玉米的工夫，她能猫在绿帐深处纳出半拉鞋底，锄不沾土；去远地收麻，男背八十，女背五十，她却嫩丫头似的只在胳肢窝里夹回镐把粗的一捆。

"瘿袋长到屁股台儿了，背不得？"队长怨她。

"背不得，我腿根子夹着你的屌哩！"

"……你篓儿倒不空。"

"空了不饿死你六个小祖宗？亏是天宽揍下的，你的种儿你敢说这个？"

她笑得野，队长扯眉无话。她篓里是半下子泉里泡过的麻麻棵儿，绿格盈盈吐香，单等着掉锅里煮了，别人歇晌她不歇，草坡上乱扒图的就是这货，是村旁山地难得一见的野菜呢！队长能说什么？怪不得，自然地敬不得，还不由她去！

怪不得不止一项。她身上有口袋，收工进家手不知怎么一揉，嫩棒子、谷穗子、梨子、李子……总能揪一样出来。日积月累，也不能说是个小数目。但谁也逮不住她，不知道口袋在什么地方。有猜在裆里的，虽说是老娘们儿终究不是可探的地方，证实不易。或许又是人家不愿逮她罢了。天宽未必明白小秋收的底细，他只明白起初女人只是嘴坏些，有了孩儿，肚子一紧瘪，她的手便也坏了。不能说，他嘴打不过她，手打怕也吃力。况且养一堆活口，女人的本事哪一样都是有用的。

这爪子就难免四处撒野。

邻家靠院墙搭了葫芦架，水汪汪一棚嫩叶，几朵白花挤到墙头这边来，绿豆和二谷伸着小手去够。

“看落了！让它长……”瘿袋有了心思，也不说。白花枯后，茎上吊了拳大几颗蛋蛋，吹气似的胀起来。邻家女人也是精明的，趁瘿袋上工溜进来，用荆条圈将葫芦一一托牢，既免了坠秧，又宣白了它们的主人，瘿袋只当无事，邻人扒墙头窥动静，她就背身藏住冷笑，滴水不漏。

葫芦大了，估量着掺俩茄子已够吃一天，瘿袋便刮北风似的割了它们。依旧是煮，然后骂也依旧，邻家的嫩崽打了先锋骑墙头日偷儿的娘。这边就威凌凌杀出了瘿袋。不骂人，只骂葫芦。骂得很委屈，葫芦成了骚娘儿们，把漂亮身子递过墙，将清白的瘿袋勾引了。

“心肝葫芦肉儿，你天生是个招人日的货哩，明儿个记着，有骚憋自家院儿里，便宜自个儿留着……”

声气儿顿消，邻家女人羞得只剩了拔秧的力气，把一棚葫芦扯散了，吃亏的都说，西水的娘儿们不是个人。天宽也觉得女人八成是着了魔。

那一年粮食又不济。可二谷都七岁了呀！魔鬼附体的日子没个休，没个休。

天宽五十了，闹不清自己是怎么长的，也闹不清自己肚里是什么下水。人呆得像个木桩，横炕上总打不住要想年轻时那沉甸甸的二百斤谷子。鼻子凉酸，哀气也跟着涌，一声叠着一声。

“哀啥？见我那天就打哀声，半辈子也下来了，我亏了你没？”

“不亏，不亏！”

两口子捂一床破絮无事可做。早年几句话逗下来，天宽就能折腰腾身，压女人一身腥汗。如今不行了，女人的屁股他看都不要看，况且又有满满一炕大的小的孩子，大谷大豆怕已听不得爹娘喘气。

最后一次是在园子里，黄瓜架后边。俩人在月亮底下办事，不紧不慢做得渐浓，瘿袋就开了口：“明儿个吃啥？”

天宽愣住了，“吃啥？”自己问自己，随后就闷闷地拎着裤子蹲下。好像一下子解了谜，在这一做一吃之间寻到了联系。他顺着头儿往回想，就抓到了比二百斤谷子更早的一些模糊事，仿佛看到不识面的祖宗做着、吃着，一个向另一个唠叨：“明儿个吃啥？”

“你说吃啥哩？”他问瘿袋，不论月光把她粗皮照得多么白细，他算彻底失了兴趣了。

“麸子。”

“哪儿拾的。”

“鞍子房。小豆眼快，这丫头出息了。”

“……仓库后头地里有鼠坑儿，怕能掏下正经粮食。”

天宽认真琢磨耗窝儿的走向。从此清心寡欲，与女人贴肉的事算淡了。瘿袋也到了日子，仰炕上不再向他伸手。

吃啥？细想想，祖宗代代而思的老事，两口子可是一天都不曾怠慢过。

女人日见憔悴。如虎也是病虎了，急躁中添了忧伤。瘿袋有了皱儿，再不似亮亮的粉红气球，骂人时也鼓不起来。

天宽呆想，操心操够了吧？看看六个孩儿个个饿相，大的小的都有舔鼻涕的病，心里就有了火苗，燎着薰着朝上顶。

他想逮上活的揍一顿，揍死它！

绿豆退学，二谷上学那年，洪水峪日子不坏。虽说新崽儿不在这家就在那家哇地降世，人均土地已由九分降到七分，但返销粮是足的。家家一本购粮证，每人二十斤，断了顿儿就到公社粮栈去买。夏粮绿在地里时辰，山道上总有拎着空的鼓的口袋的人，来回踟蹰地走。那天早上瘿袋挑了八担水，留七担晚上挑，伺候鸡、猪、人吃了，便掖着购粮证离了家。出村的时候，凡见她的人都觉得她气色不坏。过后人们才明白，凶人善相不是吉兆。

公社粮栈柜台外边挤着人，虽挤倒并不显得怎么饥饿。瘿袋捏着空口袋，发现钱和购粮证一并丢掉了。生就的急性子，当即便嗷地怪叫一声，跌倒地上吐开了沫儿。买粮的卖粮的四下里围住，看那有趣的瘿袋在她胸脯上滚来滚去，人人探个鸡脖儿，眼也都乌鸡似的鼓出来。粮栈一个人物拨不开人，拿腔儿抓调儿地念出一段语录，说的是大家都来自五湖四海，为了一个什么目标共同走到这地方来了，意思是他要挤进去……帮助帮助。那时候兴这个，而且管用，于是人们闪一条缝出来。他看明白了，到柜台后面端出个大茶缸，含一口水漱了漱嗓子，然后喷到瘿袋脸上。几口刷牙水浇下来，她嘴不抽抽了，眼却愣直。

“哪村的？”

“丢了。”

“姓啥？”

“丢了。”

“啥丢的？”

“丢了丢了……丢了……”

女人撒了癔症，围的人更添趣味，那人加倍逞能，逮住人中狠掐，嘿嘿着：“丢不了，你过来呗！”瘿袋乱扑棱，终于尖嚎：“日你娘！”她爬起来，夺路而去。

瘿袋哭软了，一辈子刚气，不知哪儿积了那么多泪。她打了两个来回，把十几里山道上每块石头都摸了，又到灌木林儿里脱光，撅着腚撕衣裳补丁，希望里边藏点儿什么。有了月亮她才进家，油灯底下天宽在吸烟袋锅，旁边炕桌上给她晾着一碗稀粥。她盯住那碗粥愣了神儿。

“娘，快吃粥！”二谷蹦过来拽她。

“不吃，再不吃啦……”女人猫似的。

天宽一下子知道出了事。一边问，一边就有火苗在心里拱，手巴掌打着抖没处搁没处放。女人不曾现过的软弱使他勇气陡升。尿人有了胆了不得！

"败家的！"

他吼一声，把粥碗往地上一砸。

"吃货！"

一辈子没这么痛快过。

"丢了粮，吃你！老子吃你！"

说着说着就管不住手，竟扑上去无头无脸一阵乱拍，大巴掌在女人头上、瘿袋上弹来弹去，好不自在。乡人们蹲在夜地里听，明白天宽又成了男人，把女人的威风杀了。半世里逞能扒食，却活生生丢了口粮，这是西水女人的造化。天宽，往死里揍她！

正揍得紧，一声长号让他悬了手。

"天爷，瞭哪个拾了粮证，让他给我家还来呀，我的粮唉……"

这歌是复调，一遍一遍唱。月亮把那脖上的瘿袋照成了白球，在黑院里闪。天宽撸一把酸鼻涕，点个马灯拎着去了。

有睡不实的乡邻，半夜里听到瘿袋到水泉担水，白薯脚在石板上踏踏地蹭。又听到蒜臼响，响得很脆，啪啪的像是硬壳碎了。以后就没有声音。

天宽趴在山道上拿马灯东照西照的时候，他女人卧在席上服了苦杏仁儿。天上有不少星星，眨着眼冷冷地瞧着他们。

天宽耗尽了灯油回家，隔二里地就听到村里有惨哭。是自己那窝粮食在响。院子里嘈杂，豆子们从门里滚出来迎他："爹，快看娘！"他一听就怕了，硬挺着踱到炕前，老娘们儿丑脸歪着，还有气，只是喘得骇人。他从二谷手里接过碗来，在粗瓷儿上抹下一指杏仁儿渣子，这才记起她一天不曾吃什么。她再不想惦记吃，所以她就吃了这个。一辈子不饥，天宽也有吃的意思了。

黎明时分，一扇门板离了村庄。几个邻家后生抬举着，瘿袋高高地睡在上边，蜡脸焕发荣光。大谷在前头引路，天宽由叔伯兄弟天德陪着殿后；一行人在雾里向山下滑。天宽迷迷瞪瞪走路，恍然回到差不多二十年前的那个早晨，但二百斤谷子正沉得把他压扁，压做薄薄的骨饼。

大谷唤他："爹，娘有话！"

门板撂稳，天宽把耳朵凑上去。听不清，他扒拉一下瘿袋球，挨她嘴近些。

“狗日的！”

静了半天，又吐出两个字。

“粮……食……”

天宽赞同地点点头，很悲哀。他在女人头发上摸了一把，最后一把。

门板将要漂出山谷时，大谷把天德的儿子换下小解。那小子绕到大石头后面哗哗地撒了一通，接着便狂叫，蛇啃了屌似的。天宽赶来，只一眼就瞭上了那个皮筋扎紧的包包。它躺在石根子那儿，几束草掩着，像块灰石。两尺开外有两节不大新鲜的绿粪。是人的。为什么绿，天宽明白。但他分明已完全糊涂，傻了似的看看这，看看那，脸上迅即失了血色。

瘿袋却是离去了。天德的儿拾了布包抢功：“婶子，天爷还你粮证哩！”她两目圆睁，阔嘴微开，大瘿袋亮着黄光，仿佛对突如其来的窝心事儿大吃了一惊。

“婶子，你瞭瞭！”

“闭你娘的嘴！”

天宽吼过侄子，大谷便哭了。天德踹儿子一脚。看看人确是没了气，又赶上去踹儿子一脚。天宽也就下了泪。他收了布包，把女人身下垫的麻袋抽一条出来。卫生站不必去，粮食不能不买。余人抬了瘿袋回头，两口子一硬一软算是暂且分了手。

一袋粮食买回，刚够助丧的众乡亲饱食一顿，天宽的孩儿自然也扎进人堆抢吃，吃得猛而香甜。他们的娘死也对得起他们了。

“明儿个吃啥？”

夫妻合谋的事，剩天宽独自苦想，他深知了女人的不易。夜里头赤条条翻身，被里的空儿叫他心痛，接着就有女人脆响的脏话传来：“狗日的……粮食！”

这仁义的老伴儿竟去了。

洪水峪少了母虎，清静了，也寂寞了。听不到她公鸡踩蛋儿似的骂声。日子便过得不够紧迫。谷子豆子们摆脱了母亲的淫威，活得反而快活起来。岁月毕竟是一天一天不同，个个肚子大了不止一倍，却大抵充实得可以。

如今杨天宽六十多岁了，仍旧慈眉善目，老娘们儿似的低声细气。他一辈子没有逞过大男人的威风，也许试过一次，但只一次便要了老婆的命。到承包的田里做活，时时要拐到坟地里去，小心拔土堆旁的杂草，其脸色不阴不阳。

孩子们可没有什么债务，他们几乎将母亲忘却了。认真回想一番，也无非更加肯定那是个不可思议的人物。二谷念高中时翻过一本医书，发现瘿袋即是“甲状腺肿大”之类，于是母亲就脖上吊着个肉球在他脑海里走。虽说只是一闪，也算有了一份想念，不能说是不孝的了。大谷、大豆、小豆们都有了孩儿，他们的孩儿是不要苦杏核儿的，可见有些事他们也还记着。

老辈儿人却爱讲瘿袋的故事。开头便是：“他背了二百斤谷子。”语调沉在“谷子”上，意味着那不是土，不是石头，不是木柴，而是“谷子”，是粮食，是过去代代人日后代代人谁也舍不下的、让他们死去活来的好玩意儿。

曹杏花因它而来又为它而走了，却是深爱它们的。

“狗日的……粮食！”

哪里是骂，分明是疼呢。是不是骂，骂个谁，得问在她坟上溜达的天宽，老家伙心里或许明白。

受戒

汪曾祺

《受戒》以典雅、明快的文字写出了美和健康的人性，探究“人之所以为人”的奥秘。小说情节性不强，以充满诗意的笔触表现了小和尚明海和农家少女小英子朦胧而纯美的初恋。小说中的民俗风情和田园风光诗意盎然，塑造了一个元气淋漓的生命空间。世俗的伦常和寺院的戒律，又衬托出了天性的自由和爱的无瑕。描写和叙述从容有致，抽茧剥丝，生动的细节描写如同小英子和明海手中的桨，推动小说的小船缓缓前行。作品提示我们：在潮流之外，生活有另一种样子，小说有另一种写法。

黄发有

《北京文学》1980 年 10 期

明海出家已经四年了。

他是十三岁来的。

这个地方的地名有点怪，叫庵赵庄。赵，是因为庄上大都姓赵。叫作庄，可是人家住得很分散，这里两三家，那里两三家。一出门，远远可以看到，走起来得走一会，因为没有大路，都是弯弯曲曲的田埂。庵，是因为有一个庵。庵叫菩提庵，可是大家叫讹了，叫成荸荠庵。连庵里的和尚也这样叫。“宝刹何处？”——“荸荠庵。”庵本来是住尼姑的。“和尚庙”、“尼姑庵”嘛。可是荸荠庵住的是和尚。也许因为荸荠庵不大，大者为庙，小者为庵。

明海在家叫小明子。他是从小就确定要出家的。他的家乡不叫“出家”，叫“当和尚”。他的家乡出和尚。就像有的地方出劁猪的，有的地方出织席子的，有的地方出箍桶的，有的地方出弹棉花的，有的地方出画匠，有的地方出婊子，他的家乡出和尚。人家弟兄多，就派一个出去当和尚。当和尚也要通过关系，也有帮。这地方的和尚有的走得很远。有到杭州灵隐寺的、上海静安寺的、镇江金山寺的、扬州天宁寺的。一般的就在本县的寺庙。明海家田少，老大、老二、老三，就足够种的了。他是老四。他七岁那年，他当和尚的舅舅回家，他爹、他娘就和舅舅商议，决定叫他当和尚。他当时在旁边，觉得这实在是在情在理，没有理由反对。当和尚有很多好处。一是可以吃现成饭。哪个庙里都是管饭的。二是可以攒钱。只要学会了放瑜伽焰口，拜梁皇忏，可以按例分到辛苦钱。积攒起来，将来还俗娶亲也可以；不想还俗，买几亩田也可以。当和尚也不容易，一要面如朗月，二要声如钟磬，三要聪明记性好。他舅舅给他相了相面，叫他前走几步，后走几步，又叫他喊了一声赶牛打场的号子："格当嘚——"，说是"明子准能当个好和尚，我包了！"要当和尚，得下点本，——念几年书。哪有不认字的和尚呢！于是明子就开蒙入学，读了《三字经》《百家姓》《四言杂字》《幼学琼林》"上论、下论""上孟、下孟"，每天还写一张仿。村里都夸他字写得好，很黑。

舅舅按照约定的日期又回了家，带了一件他自己穿的和尚领的短衫，叫明子娘改小一点，给明子穿上。明子穿了这件和尚短衫，下身还是在家穿的紫花裤子，赤脚穿了一双新布鞋，跟他爹、他娘磕了一个头，就随舅舅走了。

他上学时起了个学名，叫明海。舅舅说，不用改了。于是"明海"就从学名变成了法名。

过了一个湖。好大一个湖！穿过一个县城。县城真热闹：官盐店，税务局，肉铺里挂着成边的猪，一个驴子在磨芝麻，满街都是小磨香油的香味，布店，卖茉莉粉、梳头油的什么斋，卖绒花的，卖丝线的，打把式卖膏药的，吹糖人的，耍蛇的……他什么都想看看。舅舅一劲地推他："快走！快走！"

到了一个河边，有一只船在等着他们。船上有一个五十来岁的瘦长瘦长的大伯，船头蹲着一个跟明子差不多大的女孩子，在剥一个莲蓬吃。明子和舅舅坐到舱里，船就开了。

明子听见有人跟他说话，是那个女孩子。

"是你要到荸荠庵当和尚吗？"

明子点点头。

"当和尚要烧戒疤哦！你不怕？"

明子不知道怎么回答，就含含糊糊地摇了摇头。

"你叫什么？"

"明海。"

"在家的时候？"

"叫明子。"

“明子！我叫小英子！我们是邻居。我家挨着荸荠庵。——给你！”

小英子把吃剩的半个莲蓬扔给明海，小明子就剥开莲蓬壳，一颗一颗吃起来。

大伯一桨一桨地划着，只听见船桨泼水的声音：

“哔——嘘！哔——嘘！”

……

荸荠庵的地势很好，在一片高地上。这一带就数这片地高，当初建庵的人很会选地方。门前是一条河。门外是一片很大的打谷场。三面都是高大的柳树。山门里是一个穿堂。迎门供着弥勒佛。不知是哪一位名士撰写了一副对联：

大肚能容　容天下难容之事

开颜一笑　笑世间可笑之人

弥勒佛背后，是韦驮。过穿堂，是一个不小的天井，种着两棵白果树。天井两边各有三间厢房。走过天井，便是大殿，供着三世佛。佛像连龛才四尺来高。大殿东边是方丈，西边是库房。大殿东侧，有一个小小的六角门，白门绿字，刻着一副对联：

一花一世界

三藐三菩提

进门有一个狭长的天井，几块假山石，几盆花，有三间小房。

小和尚的日子清闲得很。一早起来，开山门，扫地。庵里的地铺的都是箩底方砖，好扫得很，给弥勒佛、韦驮烧一炷香，正殿的三世佛面前也烧一炷香、磕三个头，念三声“南无阿弥陀佛”，敲三声磬。这庵里的和尚不兴做什么早课、晚课，明子这三声磬就全都代替了。然后，挑水，喂猪。然后，等当家和尚，即明子的舅舅起来，教他念经。

教念经也跟教书一样，师父面前一本经，徒弟面前一本经，师父唱一句，徒弟跟着唱一句。是唱哎。舅舅一边唱，一边还用手在桌上拍板。一板一眼，拍得很响，就跟教唱戏一样。是跟教唱戏一样，完全一样哎。连用的名词都一样。舅舅说，念经：一要板眼准，二要合工尺。说：当一个好和尚，得有条好嗓子。说：民国十年闹大水，运河倒了堤，最后在清水潭合龙，因为大水淹死的人很多，放了一台大焰口，十三大师——十三个正座和尚，各大庙的方丈都来了，下面的和尚上百。谁当这个首座？推来推去，还是石桥——善因寺的方丈！他往上一坐，就跟地藏王菩萨一样，这就不用说了；那一声“开香赞”，围看的上千人立时鸦雀无声。说：嗓子要练，夏练三伏，冬练三九，要练丹田气！说：要吃得苦中苦，方为人上人！说：和尚里也有状元、榜眼、探花！要用心，不要贪玩！舅舅这一番大法说得明海和尚实在是五体投地，于是就一板一眼地跟着舅舅唱起来：

炉香乍热——
炉香乍热——
法界蒙薰——
法界蒙薰——
诸佛现金身……
诸佛现金身……
……

等明海学完了早经——他晚上临睡前还要学一段，叫作晚经——荸荠庵的师父们就都陆续起床了。

这庵里人口简单，一共六个人。连明海在内，五个和尚。

有一个老和尚，六十几了，是舅舅的师叔，法名普照，但是知道的人很少，因为很少人叫他法名，都称之为老和尚或老师父，明海叫他师爷爷。这是个很枯寂的人，一天关在房里，就是那“一花一世界”里。也看不见他念佛，只是那么一声不响地坐着。他是吃斋的，过年时除外。

下面就是师兄弟三个，仁字排行：仁山、仁海、仁渡。庵里庵外，有的称他们为大师父、二师父；有的称之为山师父、海师父。只有仁渡，没有叫他“渡师父”的，因为听起来不像话，大都直呼之为仁渡。他也只配如此，因为他还年轻，才二十多岁。

仁山，即明子的舅舅，是当家的。不叫“方丈”，也不叫“住持”，却叫“当家的”，是很有道理的，因为他确确实实干的是当家的职务。他屋里摆的是一张账桌，桌子上放的是账簿和算盘。账簿共有三本。一本是经账，一本是租账，一本是债账。和尚要做法事，做法事要收钱，要不，当和尚干什么？常做的法事是放焰口。正规的焰口是十个人。一个正座，一个敲鼓的，两边一边四个。人少了，八个，一边三个，也凑合了。荸荠庵只有四个和尚，要放整焰口就得和别的庙里合伙。这样的时候也有过。通常只是放半台焰口。一个正座，一个敲鼓，另外一边一个。一来找别的庙里合伙费事；二来这一带放得起整焰口的人家也不多。有的时候，谁家死了人，就只请两个，甚至一个和尚咕噜咕噜念一通经，敲打几声法器就算完事。很多人家的经钱不是当时就给，往往要等秋后才还。这就得记账。另外，和尚放焰口的辛苦钱不是一样的。就像唱戏一样，有份子。正座第一份。因为他要领唱，而且还要独唱。当中有一大段“叹骷髅”，别的和尚都放下法器休息，只有首座一个人有板有眼地慢声吟唱。第二份是敲鼓的。你以为这容易呀？哼，单是一开头的“发擂”，手上没功夫就敲不出迟疾顿挫！其余的，就一样了。这也得记上：某月某日，谁家焰口半台，谁正座，谁敲鼓……省得到年底结账时赌咒骂娘。……这庵里有几十亩庙产，租给人种，到时候要收租。庵里还放债。租、债一向倒很少亏欠，因为租佃借钱的人怕菩萨不高兴。这三本账就够仁山忙的了。另外香烛灯火、油盐“福食”，这也得随时记记账呀。除了账簿之外，山师父的方丈的墙上还挂着一块水牌，上漆四个红字：勤笔免思。

仁山所说当一个好和尚的三个条件，他自己其实一条也不具备。他的相貌只要用两个字就说清楚了：黄，胖。声音也不像钟磬，倒像母猪。聪明么？难说，打牌老输。他在庵里从不穿袈裟，连海青直裰也免了。经常是披着件短僧衣，袒露着一个黄色的肚子。下面是光脚趿拉着一双僧鞋——新鞋他也是趿拉着。他一天就是这样不衫不履地这里走走，那里走走，发出母猪一样的声音：“哞——哞——”。

二师父仁海。他是有老婆的。他老婆每年夏秋之间来住几个月，因为庵里凉快。庵里有六个人，其中之一，就是这位和尚的家眷。仁山、仁渡叫她嫂子，明海叫她师娘。这两口子都很爱干净，整天地洗涮。傍晚的时候，坐在天井里乘凉。白天，闷在屋里不出来。

三师父是个很聪明精干的人。有时一笔账大师兄扒了半天算盘也算不清，他眼珠子转两转，早算得一清二楚。他打牌赢的时候多，二三十张牌落地，上下家手里有些什么牌，他就差不多都知道了。他打牌时，总有人爱在他后面看歪头胡。谁家约他打牌，就说“想送两个钱给你”。他不但经忏俱通（小庙的和尚能够拜忏的不多），而且身怀绝技，会“飞铙”。七月间有些地方做盂兰会，在旷地上放大焰口，几十个和尚，穿绣花袈裟，飞铙。飞铙就是把十多斤重的大铙钹飞起来。到了一定的时候，全部法器皆停，只几十副大铙紧张急促地敲起来。忽然起手，大铙向半空中飞去，一面飞，一面旋转。然后，又落下来，接住。接住不是平平常常地接住，有各种架势，“犀牛望月”、“苏秦背剑”……这哪是念经，这是耍杂技。也算是地藏王菩萨爱看这个，但真正因此快乐起来的是人，尤其是妇女和孩子。这是年轻漂亮的和尚出风头的机会。一场大焰口过后，也像一个好戏班子过后一样，会有一个两个大姑娘、小媳妇失踪——跟和尚跑了。他还会放“花焰口”。有的人家，亲戚中多风流子弟，在不是很哀伤的佛事——如做冥寿时，就会提出放花焰口。所谓“花焰口”就是在正焰口之后，叫和尚唱小调，拉丝弦，吹管笛，敲鼓板，而且可以点唱。仁渡一个人可以唱一夜不重头。仁渡前几年一直在外面，近两年才常住在庵里。据说他有相好的，而且不止一个。他平常可是很规矩，看到姑娘媳妇总是老老实实的，连一句玩笑话都不说，一句小调山歌都不唱。有一回，在打谷场上乘凉的时候，一伙人把他围起来，非叫他唱两个不可。他却情不过，说：“好，唱一个。不唱家乡的。家乡的你们都熟。唱个安徽的。”

姐和小郎打大麦，
一转子讲得听不得。
听不得就听不得，
打完了大麦打小麦。

唱完了，大家还嫌不够，他就又唱了一个：

姐儿生得漂漂的，

两个奶子翘翘的。
有心上去摸一把，
心里有点跳跳的。
……

这个庵里无所谓清规，连这两个字也没人提起。

仁山吃水烟，连出门做法事也带着他的水烟袋。

他们经常打牌。这是个打牌的好地方。把大殿上吃饭的方桌往门口一搭，斜放着，就是牌桌。桌子一放好，仁山就从他的方丈里把筹码拿出来，哗啦一声倒在桌上。斗纸牌的时候多，搓麻将的时候少。牌客除了师兄弟三人，常来的是一个收鸭毛的，一个打兔子兼偷鸡的，都是正经人。收鸭毛的担一副竹筐，串乡串镇，拉长了沙哑的声音喊叫：

“鸭毛卖钱——”

偷鸡的有一件家什——铜蜻蜓。看准了一只老母鸡，把铜蜻蜓一丢，鸡婆子上去就是一口。这一啄，铜蜻蜓的硬簧绷开，鸡嘴撑住了，叫不出来了。正在这鸡十分纳闷的时候，上去一把薅住。

明子曾经跟这位正经人要过铜蜻蜓看看。他拿到小英子家门前试了一试，果然！小英子的娘知道了，骂明子：

“要死了！儿子！你怎么到我家来玩铜蜻蜓了！”

小英子跑过来：

“给我！给我！”

她也试了试，真灵，一个黑母鸡一下子就把嘴撑住，傻了眼了！

下雨阴天，这二位就光临荸荠庵，消磨一天。

有时没有外客，就把老师叔也拉出来，打牌的结局，大都是当家和尚气得鼓鼓的：“× 妈妈的！又输了！下回不来了！”

他们吃肉不瞒人。年下也杀猪。杀猪就在大殿上。一切都和在家人一样，开水、木桶、尖刀。捆猪的时候，猪也是没命地叫。跟在家人不同的，是多一道仪式，要给即将升天的猪念一道“往生咒”，并且总是老师叔念，神情很庄重：

“……一切胎生、卵生、息生，来从虚空来，还归虚空去。往生再世，皆当欢喜。南无阿弥陀佛！”

三师父仁渡一刀子下去，鲜红的猪血就带着很多沫子喷了出来。

……

明子老往小英子家里跑。

小英子的家像一个小岛，三面都是河，西面有一条小路通到荸荠庵。独门独户，岛上只有这一家。岛上有六棵大桑树，夏天都结大桑葚，三棵结白的，三棵结紫的；一个菜园子，瓜豆蔬菜，四时不缺。院墙下半截是砖砌的，上半截是泥夯的。大门是桐油油过的，贴着一副万年红的春联：

向阳门第春常在

积善人家庆有余

门里是一个很宽的院子。院子里一边是牛屋、碓棚；一边是猪圈、鸡窠，还有个关鸭子的栅栏。露天地放着一具石磨。正北面是住房，也是砖基土筑，上面盖的一半是瓦，一半是草。房子翻修了才三年，木料还露着白茬。正中是堂屋，家神菩萨的画像上贴的金还没有发黑。两边是卧房。隔扇窗上各嵌了一块一尺见方的玻璃，明亮亮的——这在乡下是不多见的。房檐下一边种着一棵石榴树，一边种着一棵栀子花，都齐房檐高了。夏天开了花，一红一白，好看得很。栀子花香得冲鼻子。顶风的时候，在荸荠庵都闻得见。

这家人口不多。他家当然是姓赵。一共四口人：赵大伯、赵大妈，两个女儿，大英子、小英子。老两口没有儿子。因为这些年人不得病，牛不生灾，也没有大旱大水闹蝗虫，日子过得很兴旺。他们家自己有田，本来够吃的了，又租种了庵上的十亩田。自己的田里，一亩种了荸荠——这一半是小英子的主意，她爱吃荸荠，一亩种了茨菇。家里喂了一大群鸡鸭，单是鸡蛋鸭毛就够一年的油盐了。赵大伯是个能干人。他是一个“全把式”，不但田里场上样样精通，还会罩鱼、洗磨、凿砻、修水库、修船、砌墙、烧砖、箍桶、劈篾、绞麻绳。他不咳嗽，不腰疼，结结实实，像一棵榆树。人很和气，一天不声不响。赵大伯是一棵摇钱树，赵大娘就是个聚宝盆。大娘精神得出奇。五十岁了，两个眼睛还是清亮亮的。不论什么时候，头都是梳得滑溜溜的，身上衣服都是格挣挣的。像老头子一样，她一天不闲着。煮猪食，喂猪，腌咸菜——她腌的咸萝卜干非常好吃，舂粉子，磨小豆腐，编蓑衣，织芦筐。她还会剪花样子。这里嫁闺女，陪嫁妆，磁坛子、锡罐子，都要用梅红纸剪出吉祥花样，贴在上面，讨个吉利，也才好看：“丹凤朝阳”呀、“白头到老”呀、“子孙万代”呀、“福寿绵长”呀。二三十里的人家都来请她：“大娘，好日子是十六，你哪天去呀？”——“十五，我一大清早就来！”

“一定呀！”——“一定！一定！”

两个女儿，长得跟她娘像一个模子里托出来的。眼睛长得尤其像，白眼珠鸭蛋青，黑眼珠棋子黑，定神时如清水，闪动时像星星。浑身上下，头是头，脚是脚。头发滑溜溜的，衣服格挣挣的。——这里的风俗，十五六岁的姑娘就都梳上头了。这两个丫头，这一头的好头发！通红的发根，雪白的簪子！娘女三个去赶集，一集的人都朝她们望。

姐妹俩长得很像，性格不同。大姑娘很文静，话很少，像父亲。小英子比她娘还会说，一天叽叽呱呱地不停。大姐说：

“你一天到晚叽叽呱呱——”

“像个喜鹊！”

“你自己说的！——吵得人心乱！”

“心乱？”

“心乱！”

“你心乱怪我呀！”

二姑娘话里有话。大英子已经有了人家。那人她偷偷地看过，人很敦厚，也不难看，家道也殷实，她满意。已经下过小定，日子还没有定下来。她这两年，很少出房门，整天赶她的嫁妆。大裁大剪，她都会。挑花绣花，不如娘。她可又嫌娘出的样子太老了。她到城里看过新娘子，说人家现在绣的都是活花活草。这可把娘难住了。最后是喜鹊忽然一拍屁股：“我给你保举一个人！”

这人是谁？是明子。明子念“上孟下孟”的时候，不知怎么得了半套《芥子园》，他喜欢得很。到了荸荠庵，他还常翻出来看，有时还把旧账簿子翻过来，照着描。小英子说：

“他会画！画得跟活的一样！”

小英子把明海请到家里来，给他磨墨铺纸，小和尚画了几张，大英子喜欢得了不得：

"就是这样！就是这样！这就可以乱孱！"——所谓"乱孱"是绣花的一种针法：绣了第一层，第二层的针脚插进第一层的针缝，这样颜色就可由深到淡，不露痕迹，不像娘那一代绣的花是平针，深浅之间，界限分明，一道一道的。小英子就像个书童，又像个参谋：

"画一朵石榴花！"

"画一朵栀子花！"

她把花掐来，明海就照着画。

到后来，凤仙花、石竹子、水蓼、淡竹叶、天竺果子、腊梅花，他都能画。

大娘看着也喜欢，搂住明海的和尚头：

"你真聪明！你给我当一个干儿子吧！"

小英子捺住他的肩膀，说：

"快叫！快叫！"

小明子跪在地下磕了一个头，从此就叫小英子的娘做干娘。

大英子绣的三双鞋，三十里方圆都传遍了。很多姑娘都走路坐船来看。看完了，就说："啧啧啧，真好看！这哪是绣的，这是一朵鲜花！"她们就拿了纸来央大娘求了小和尚来画。有求画帐檐的，有求画门帘飘带的，有求画鞋头花的。每回明子来画花，小英子就给他做点好吃的，煮两个鸡蛋，蒸一碗芋头，煎几个藕团子。

因为照顾姐姐赶嫁妆，田里的零碎生活小英子就全包了。她的帮手，是明子。

这地方的忙活是栽秧、车高田水、薅头遍草，再就是割稻子、打场了。这几茬重活，自己一家是忙不过来的。这地方兴换工。排好了日期，几家顾一家，轮流转。不收工钱，但是吃好的。一天吃六顿，两头见肉，顿顿有酒。干活时，敲着锣鼓，唱着歌，热闹得很。其余的时候，各顾各，不显得紧张。

薅三遍草的时候，秧已经很高了，低下头看不见人。一听见非常脆亮的嗓子在一片浓绿里唱：

栀子哎开花哎六瓣头哎……

姐家哎门前哎一道桥哎……

明海就知道小英子在哪里，三步两步就赶到，赶到就低头薅起草来。傍晚牵牛“打汪”，是明子的事。——水牛怕蚊子。这里的习惯，牛卸了轭，饮了水，就牵到一口和好泥水的“汪”里，由它自己打滚扑腾，弄得全身都是泥浆，这样蚊子就咬不透了。低田上水，只要一挂十四轧的水车，两个人车半天就够了。明子和小英子就伏在车杠上，不紧不慢地踩着车轴上的拐子，轻轻地唱着明海向三师父学来的各处山歌。打场的时候，明子能替赵大伯一会，让他回家吃饭。——赵家自己没有场，每年都在荸荠庵外面的场上打谷子。他一扬鞭子，喊起了打场号子：

“格当嘚——”

这打场号子有音无字，可是九转十三弯，比什么山歌号子都好听。赵大娘在家，听见明子的号子，就侧起耳朵：

“这孩子这条嗓子！”

连大英子也停下针线：

“真好听！”

小英子非常骄傲地说：

“一十三省数第一！”

晚上，他们一起看场。——荸荠庵收来的租稻也晒在场上。他们并肩坐在一个石磙子上，听青蛙打鼓，听寒蛇唱歌——这个地方以为蝼蛄叫是蚯蚓叫，而且叫蚯蚓叫“寒蛇”，听纺纱婆子不停地纺纱，“吵——”，看萤火虫飞来飞去，看天上的流星。

“呀！我忘了在裤带上打一个结！”小英子说。

这里的人相信，在流星掉下来的时候在裤带上打一个结，心里想什么好事，就能如愿。

……

“(捁)”荸荠，这是小英子最爱干的生活。秋天过去了，地净场光，荸荠的叶子枯了——荸荠的笔直的小葱一样的圆叶子里是一格一格的，用手一捋，哗哗地响，小英子最爱捋着玩——荸荠藏在烂泥里。赤了脚，在凉浸浸滑溜溜的泥里踩着——哎，一个硬疙瘩！伸手下去，一个红紫红紫的荸荠。她自己爱干这生活，还拉了明子一起去。她老是故意用自己的光脚去踩明子的脚。

她挎着一篮子荸荠回去了，在柔软的田埂上留了一串脚印。明海看着她的脚印，傻了。五个小小的趾头，脚掌平平的，脚跟细细的，脚弓部分缺了一块。明海身上有一种从来没有过的感觉，他觉得心里痒痒的。这一串美丽的脚印把小和尚的心搞乱了。

……

明子常搭赵家的船进城，给庵里买香烛，买油盐。闲时是赵大伯划船；忙时是小英子去，划船的是明子。

从庵赵庄到县城，当中要经过一片很大的芦花荡子。芦苇长得密密的，当中一条水路，四边不见人。划到这里，明子总是无端端地觉得心里很紧张，他就使劲地划桨。

小英子喊起来：

“明子！明子！你怎么啦？你发疯啦？为什么划得这么快？”

……

明海到善因寺去受戒。

“你真的要去烧戒疤呀？”

“真的。”

“好好的头皮上烧八个洞，那不疼死啦？”

“咬咬牙。舅舅说这是当和尚的一大关，总要过的。”

“不受戒不行吗？”

“不受戒的是野和尚。”

“受了戒有啥好处？”

“受了戒就可以到处云游，逢寺挂褡。”

“什么叫‘挂褡’？”

“就是在庙里住。有斋就吃。”

“不把钱？”

“不把钱。有法事，还得先尽外来的师父。”

“怪不得都说‘远来的和尚会念经’。就凭头上这几个戒疤？”

“还要有一份戒牒。”

“闹半天，受戒就是领一张和尚的合格文凭呀！”

"就是！"

"我划船送你去。"

"好。"

小英子早早就把船划到荸荠庵门前。不知是什么道理，她兴奋得很。她充满了好奇心，想去看看善因寺这座大庙，看看受戒是个啥样子。

善因寺是全县第一大庙，在东门外，面临一条水很深的护城河，三面都是大树，寺在树林子里，远处只能隐隐约约看到一点金碧辉煌的屋顶，不知道有多大。树上到处挂着"谨防恶犬"的牌子。这寺里的狗出名的厉害。平常不大有人进去。放戒期间，任人游看，恶狗都锁起来了。

好大一座庙！庙门的门槛比小英子的磕膝都高。迎门矗着两块大牌，一边一块，一块写着斗大两个大字："放戒"，一块是："禁止喧哗"。这庙里果然是气象庄严，到了这里谁也不敢大声咳嗽。明海自去报名办事，小英子就到处看看。好家伙，这哼哈二将、四大天王，有三丈多高，都是簇新的，才装修了不久。天井有二亩地大，铺着青石，种着苍松翠柏。"大雄宝殿"，这才真是个"大殿"！一进去，凉飕飕的。到处都是金光耀眼。释迦牟尼佛坐在一个莲花座上。单是莲座，就比小英子还高。抬起头来也看不全他的脸，只看到一个微微闭着的嘴唇和胖墩墩的下巴。两边的两根大红蜡烛，一搂多粗。佛像前的大供桌上供着鲜花、绒花、绢花，还有珊瑚树、玉如意、整棵的大象牙。香炉里烧着檀香。小英子出了庙，闻着自己的衣服都是香的。挂了好些幡。这些幡不知是什么缎子的，那么厚重，绣的花真细。这么大一口磬，里头能装五担水！这么大一个木鱼，有一头牛大，漆得通红的。她又去转了转罗汉堂，爬到千佛楼上看了看。真有一千个小佛！她还跟着一些人去看了看藏经楼。藏经楼没有什么看头，都是经书！妈吔！逛了这么一圈，腿都酸了。小英子想起还要给家里打油，替姐姐配丝线，给娘买鞋面布，给自己买两个坠围裙飘带的银蝴蝶，给爹买旱烟，就出庙了。

等把事情办齐了，晌午了。她又到庙里看了看，和尚正在吃粥。好大一个"膳堂"，坐得下八百个和尚。吃粥也有这样多讲究：正面法座上摆着两个锡胆瓶，里面插着红绒花，后面盘膝坐着一个穿了大红满金绣袈裟的和尚，手里拿了戒尺。这戒尺是要打人的。哪个和尚吃粥吃出了声音，他下来就是一戒尺。不过他并不真的打人，只是做个样子。真稀奇，那么多的和尚吃粥，竟然不出一点声音！她看见明子也坐在里面，想跟他打个招呼又不好打。想了想，管他禁止不禁止喧哗，就大声喊了一句：“我走啦！”她看见明子目不斜视地微微点了点头，就不管很多人都朝自己看，大摇大摆地走了。

第四天一大清早小英子就去看明子。她知道明子受戒是第三天半夜——烧戒疤是不许人看的。她知道要请老剃头师傅剃头，要剃得横摸顺摸都摸不出头发茬子，要不然一烧，就会“走”了戒，烧成了一片。她知道是用枣泥子先点在头皮上，然后用香头子点着。她知道烧了戒疤就喝一碗蘑菇汤，让它“发”，还不能躺下，要不停地走动，叫作“散戒”。这些都是明子告诉她的。明子是听舅舅说的。

她一看，和尚真在那里“散戒”，在城墙根底下的荒地里。一个一个，穿了新海青，光光的头皮上都有八个黑点子。——这黑疤掉了，才会露出白白的、圆圆的“戒疤”。和尚都笑嘻嘻的，好像很高兴。她一眼就看见了明子。隔着一条护城河，就喊他：

“明子！”

“小英子！”

“你受了戒啦？”

“受了。”

“疼吗？”

“疼。”

“现在还疼吗？”

“现在疼过去了。”

“你哪天回去？”

“后天。”

“上午？下午？”

“下午。”

“我来接你！”

“好！”

……

小英子把明海接上船。

小英子这天穿了一件细白夏布上衣，下边是黑洋纱的裤子，赤脚穿了一双龙须草的细草鞋，头上一边插着一朵栀子花，一边插着一朵石榴花。她看见明子穿了新海青，里面露出短褂子的白领子，就说："把你那外面的一件脱了，你不热呀！"

他们一人一把桨。小英子在中舱，明子扳艄，在船尾。

她一路问了明子很多话，好像一年没有看见了。

她问，烧戒疤的时候，有人哭吗？喊吗？

明子说，没有人哭。有个山东和尚骂人：

"俺日你奶奶！俺不烧了！"

她问善因寺的方丈石桥是相貌和声音都很出众吗？

"是的。"

"说他的方丈比小姐的绣房还讲究？"

"讲究。什么东西都是绣花的。"

"他屋里很香？"

"很香。他烧的是伽楠香，贵得很。"

"听说他会做诗，会画画，会写字？"

"会。庙里走廊两头的砖额上，都刻着他写的大字。"

"他是有个小老婆吗？"

"有一个。"

"才十几岁？"

"听说。"

"好看吗？"

"都说好看。"

"你没看见？"

"我怎么会看见？我关在庙里。"

明子告诉她，善因寺一个老和尚告诉他，寺里有意选他当沙弥尾，不过还没有定，要等主事的和尚商议。

"什么叫'沙弥尾'？"

"放一堂戒，要选出一个沙弥头，一个沙弥尾。沙弥头要老成，要会念很多经。沙弥尾要年轻，聪明，相貌好。"

"当了沙弥尾跟别的和尚有什么不同？"

“沙弥头，沙弥尾，将来都能当方丈。现在的方丈退居了，就当。石桥原来就是沙弥尾。”

“你当沙弥尾吗？”

“还不一定哪。”

“你当方丈，管善因寺？管这么大一个庙？！”

“还早呐！”

划了一气，小英子说：“你不要当方丈！”

“好，不当。”

“你也不要当沙弥尾！”

“好，不当。”

又划了一气，看见那一片芦花荡子了。

小英子忽然把桨放下，走到船尾，趴在明子的耳朵旁边，小声地说：

“我给你当老婆，你要不要？”

明子眼睛鼓得大大的。

“你说话呀！”

明子说：“嗯。”

“什么叫‘嗯’呀！要不要，要不要？”

明子大声地说：“要！”

“你喊什么！”

明子小小声说：“要——！”

“快点划！”

英子跳到中舱，两只桨飞快地划起来，划进了芦花荡。

芦花才吐新穗。紫灰色的芦穗，发着银光，软软的，滑溜溜的，像一串丝线。有的地方结了蒲棒，通红的，像一枝一枝小蜡烛。青浮萍，紫浮萍。长脚蚊子，水蜘蛛。野菱角开着四瓣的小白花。惊起一只青桩（一种水鸟），擦着芦穗，噗噜噜噜飞远了。

……

一九八〇年八月十二日，写四十三年前的一个梦

爱是不能忘记的

张洁

张洁的短篇小说《爱是不能忘记的》1979年在《北京文学》甫一发表，即刻引起了强烈反响。小说以第一人称“我”——一位大龄女青年珊珊对现实婚恋的不满为由头，引出母亲——作家钟雨与老干部的一段注定不能实现的刻骨铭心的神圣爱情故事，唤醒了人们蛰居多年的理想主义情爱的夙愿，这种剔除了肉欲的纯粹精神之恋，成为20世纪80年代时代精神的象征。小说主观抒情色彩浓郁，具有鲜明的浪漫主义倾向，具有强烈的艺术感染力。

《北京文学》1979年11期

郭宝亮

我和我们这个共和国同年。三十岁，对于一个共和国来说，那是太年轻了。而对一个姑娘来说，却有嫁不出去的危险。

不过，眼下我倒有一个正儿八经的求婚者。看见过希腊伟大的雕塑家米伦所创造的“掷铁饼者”那座雕塑么？乔林的身躯几乎就是那尊雕塑的翻版。

即使在冬天，臃肿的棉衣也不能掩盖住他身上那些线条优美的轮廓。他的面孔黝黑，鼻子、嘴巴的线条都很粗犷。宽阔的前额下，是一双长长的眼睛。

光看这张脸和这个身躯，大多数的姑娘都会喜欢他。

可是，倒是我自己拿不准主意要不要嫁给他。因为我闹不清楚我究竟爱他的什么，而他又爱我的什么?

我知道，已经有人在背地里说长道短:“凭她那些条件，还想找个什么样的？”

在他们的想象中，我不过是一头劣种的牲畜，却变着法儿想要混个肯出大价钱的冤大头。这引起他们的气恼，好像我真的干了什么伤天害理的、冒犯了众人的事情。

自然，我不能对他们过于苛求。在商品生产还存在的社会里，婚姻，也像许多问题一样，难免不带着商品交换的烙印。

我和乔林相处将近两年了，可直到现在我还摸不透他那缄默的习惯到底是因为不爱讲话，还是因为讲不出来什么？逢到我起意要对他来点智力测验，一定逼着他说出对某事或某物的看法时，他也只能说出托儿所里常用的那种词汇：“好！”或“不好！”就这么两档，再也不能换换别的花样儿了。

当我问起“乔林，你为什么爱我”的时候，他认真地思索了好一阵子。对他来说，那段时间实在够长了。凭着他那宽阔的额头上难得出现的皱纹，我知道，他那美丽的脑壳里面的组织细胞，一定在进行着紧张的思维活动。我不由得对他生出一种怜悯和一种歉意，好像我用这个问题刁难了他。

然后，他抬起那双儿童般的、清澈的眸子对我说：“因为你好！”

我的心被一种深刻的寂寞填满了：“谢谢你，乔林！”

我不由得想：当他成为我的丈夫，我也成为他的妻子的时候，我们能不能把妻子和丈夫的责任和义务承担到底呢？也许能够。因为法律和道义已经紧紧地把我们拴在一起。而如果我们仅仅是遵从着法律和道义来承担彼此的责任和义务，那又是多么悲哀啊！那么，有没有比法律和道义更牢固、更坚实的东西把我们联系在一起呢？

逢到我这样想着的时候，我总是有一种古怪的感觉，好像我不是一个准备出嫁的姑娘，而是一个研究社会学的老学究。

也许我不必想这么许多，我们可以照大多数的家庭那样生活下去：生儿育女，厮守在一起，绝对地保持着法律所规定的忠诚……虽说人类社会已经进入了二十世纪七十年代，可在这点上，倒也不妨像几千年来人们所做过的那样，把婚姻当成一种传宗接代的工具，一种交换、买卖，而婚姻和爱情也可以是分离着的。既然许多人都是这么过来的，为什么我就偏偏不可以照这样过下去呢？

不，我还是下不了决心。我想起小的时候，我总是没缘没故地整夜啼哭，不仅闹得自己睡不安生，也闹得全家睡不安生。我那没有什么文化却相当有见地的老保姆说我“贼风入耳”了。我想这带有预言性的结论大概很有一点科学性，因为直到如今我还依然如故，总好拿些不成问题的问题不但搅扰得自己不得安宁，也搅扰得别人不得安宁。所谓“禀性难移”吧！

我呢，还会想到我的母亲，如果她还活着，她会对我的这些想法，对乔林，对我要不要答应他的求婚说些什么？！

我之所以习惯地想到她，绝不因为她是一个严酷的母亲，即使已经不在人世也依然用她的阴魂主宰着我的命运。不，她甚至不是一个母亲，而是推心置腹的朋友。我想，这多半就是我那么爱她，一想到她已经离我远去便悲从中来的原因吧！

她从不教训我，她只是用她那没有什么女性温存的低沉的嗓音，柔和地对我谈她一生中的过失或成功，让我从这过失或成功里找到我自己需要的东西。不过，她成功的时候似乎很少，一生里总是伴着许许多多的失败。

在她最后的那些日子里，她总是用那双细细的、灵秀的眼睛长久地跟随着我，仿佛在估量着我有没有独立生活下去的能力，又好像有什么重要的话要叮嘱我，可又拿不准主意该不该对我说。准是我那没心没肺，凡事都不大有所谓的派头让她感到了悬心。她忽然冒出了一句："珊珊，要是你吃不准自己究竟要的是什么，我看你就是独身生活下去，也比糊里糊涂地嫁出去要好得多！"

照别人看来，作为一个母亲对女儿讲这样的话，似乎不近情理。而在我看来，那句话里包含着以往生活里的痛苦经验，真是一句至理名言。我倒不觉得她这样叮咛我是看轻我或是低估了我对生活的认识。她爱我，希望我生活得没有烦恼，是不是？

"妈妈，我不想嫁人！"我这么说，绝不是因为害臊或是忸怩作态。说真的，我真不知道一个姑娘什么时候需要做出害臊或忸怩的姿态，一切在一般人看来应该对孩子隐讳的事情，母亲早已从正面让我认识了它。

"要是遇见合适的，还是应该结婚。我说的是合适的！"

"恐怕没有什么合适的！"

"有还是有，不过难一点——因为世界是这么大，我担心的是你会不会遇上就是了！"她并不关心我嫁得出去还是嫁不出去，她关心的倒是婚姻的实质。

"其实，您一个人过得不是挺好吗？"

"谁说我过得挺好？"

"我这么觉得。"

"我是不得不如此……"她停住了说话，沉思起来。一种淡淡的、忧郁的神情来到了她的脸上。她那忧郁的、满是皱纹的脸，让我想起我早年夹在书页里的那些已经枯萎了的花。

"为什么不得不如此呢？"

"你的为什么太多了。"她在回避我。她心里一定藏着什么不愿意让我知道的心事。我知道，她不告诉我，并不是因为她耻于向我披露，而多半是怕我不能准确地估量那事情的深浅而扭曲了它，也多半是因为人人都有一点珍藏起来的、留给自己的东西。想到这里，我有点不自在。这不自在的感觉迫使我没有礼貌，没有教养地追问下去："是不是您还爱着爸爸？"

"不，我从没有爱过他。"

"他爱您吗？"

"不，他也不爱我！"

"那你们当初为什么结婚呢？"

她停了停，准是想找出更准确的字眼来说明这令人费解和反常的现象。

然后显出无限悔恨的样子对我说："人在年轻的时候，并不一定了解自己追求的、需要的是什么，甚至别人的起哄也会促成一桩婚姻。等到你再长大一些、更成熟一些的时候，你才会明白你真正需要的是什么。可那时，你已经干了许多悔恨得让你感到锥心的蠢事。你巴不得付出任何代价，只求重新生活一遍才好，那你就会变得比较聪明了。人说'知足者常乐'，我却享受不到这样的快乐。"说着，她自嘲地笑了笑。"我只能是一个痛苦的理想主义者。"

莫非我那"贼风入耳"的毛病是从她那里来的？大约我们的细胞中主管"贼风入耳"这种遗传性状的是一个特别尽职尽责的基因。

"您为什么不再结婚呢？"

她不大情愿地说："我怕自己还是吃不准自己到底要什么。"她明明还是不肯对我说真话。

我不记得我的父亲。他和母亲在我很小的时候便分手了。我只记得母亲曾经很害羞地对我说过他是一个相当漂亮的、公子哥儿似的人物。我明白她准是因为自己也曾追求过那种浅薄而无聊的东西感到害臊。她对我说过："晚上睡不着觉的时候，我常常迫使自己硬着头皮去回忆年轻时代所做过的那些蠢事、错事！为的是使自己清醒。固然，这是很不愉快的，我常会羞愧地用被单蒙上自己的脸，好像黑暗里也有许多人在盯着我瞧似的。不过这种不愉快的感觉里倒也有一种赎罪似的快乐。"

我真对她不再结婚感到遗憾。她是一个很有趣味的人，如果她和一个她爱着的人结婚，一定会组织起一个十分有趣味的家庭。虽然她生得并不漂亮，可是优雅，淡泊，像一幅淡墨的山水画。文章写得也比较美，和她很熟悉的一位作家喜欢开这样的玩笑：“光看你的作品，人家就会爱上你的！”

母亲便会接着说：“要是他知道他爱的竟是一个满脸皱纹、满头白发的老太婆，他准会吓跑了。”

到了这种年龄，她绝不会是还不知道自己到底要什么。这分明是一句遁词。我之所以这么说，是因为她有些引起我生出许多疑问的怪毛病。

比如，不论她上哪儿出差，她必得带上那二十七本一套的、一九五〇年到一九五五年出版的契诃夫小说选集中的一本。并且叮咛着我：“千万别动我这套书。你要看，就看我给你买的那一套。”这话明明是多余的，我有自己的一套，干吗要去动她的那套呢？况且这话早已三令五申地不知说过多少遍了。可她还是怕有个万一的时候。她爱那套书爱得简直像得了魔怔一般。

我们家有两套契诃夫小说选集。这也许说明对契诃夫的爱好是我们家的家风，但也许更多的是为了招架我和别的喜欢契诃夫的人。逢到有人想要借阅的时候，她便拿了我房间里的那套给人。有一次，她不在家的时候，一位很熟的朋友拿了她那套里的一本。她知道了之后，急得如同火烧了眉毛，立刻拿了我的一本去换了回来。

从我记事的那天起，那套书便放在她的书橱里了。别管我多么钦佩伟大的契诃夫，我也不能明白，那套书就那么百看、千看、万看不厌，二十多年来有什么必要天天非得读它一读？

有时，她写东西写累了，便会端着一杯浓茶，坐在书橱对面，瞧着那套契诃夫小说选集出神。要是这个时候我突然走进了她的房间，她便会显得慌乱不安，不是把茶水泼了自己一身，便是像初恋的女孩子头一次和情人约会便让人撞见似的羞红了脸。

我便想：她是不是爱上了契诃夫？要是契诃夫还活着，没准真会发生这样的事。

当她神志不清，就要离开这个世界的时候，她对我说的最后一句话是：“那套书——”她已经没有力气说出“那套契诃夫小说选集”这样一个长句子。不过我明白她指的就是那一套。“……还有，写着，‘爱，是不能忘记的’……笔记本，和我，一同火葬。”

她最后叮咛我的这句话，有些，我为她做了。比如那套书。有些，我没有为她做……比如那些题着“爱，是不能忘记的”笔记本子。我舍不得。我常想，要是能够出版，那一定是她写过的那些作品里最动人的一篇。不过它当然是不能出版的。

起先，我以为那不过是她为了写东西而积累的一些素材。因为它既不像小说，也不像札记；既不像书信，也不像日记。只是当我从头到尾把它们读了一遍的时候，渐渐地，那些只言片语与我那支离破碎的回忆交织成了一个形状模糊的东西。经过久久的思索，我终于明白，我手里捧着的，并不是没有生命、没有血肉的文字，而是一颗灼人的、充满了爱情和痛苦的心，我还看见那颗心怎样在这爱情和痛苦里挣扎、熬煎。二十多年来，那个人占有着她全部的情感，可是她却得不到他。她只有把这些笔记本当作是他的替身，在这上面和他倾心交谈。每时，每天，每月，每年。

难怪她从没有对任何一个够意思的求婚者动过心，难怪她对那些说不出来是善意的愿望或是恶意的闲话总是淡然地一笑付之。原来她的心已经填得那么满，任什么别的东西都装不进去了。我想起“曾经沧海难为水，除却巫山不是云”的诗句，想到我们当中有人多半不会这样去爱，而且也没有人会照这个样子爱我的时候，我便感到一种说不出来的怅惘。

我知道了三十年代他在上海做地下工作的时候，一位老工人为了掩护他而被捕牺牲，撇下了无依无靠的妻子和女儿。他，出于道义，责任，阶级情谊和对死者的感念，毫不犹豫地娶了那位姑娘。逢到他看见那些由于“爱情”而结合的夫妇又因为“爱情”而生出无限的烦恼，他便会想：“谢天谢地，我虽然不是因为爱情而结婚，可是我们生活得和睦、融洽，就像一个人的左膀右臂。”几十年风里来、雨里去，他们可以说是患难夫妻。

他一定是她那机关里的一位同志。我会不会见过他呢？从到过我家的客人里，我看不出任何迹象，他究竟是谁呢？

大约一九六二年的春天，我和母亲去听音乐会。剧场离我们家太远，我们没有乘车。

一辆黑色的小轿车悄无声息地停在人行道旁边。从车上走下来一个满头白发、穿着一套黑色毛呢中山装的、上了年纪的男人。那头白发生得堂皇而又气派！他给人一种严谨的、一丝不苟的、脱俗的、明澄得像水晶一样的印象。特别是他的眼睛，十分冷峻地闪着寒光，当他急速地瞥向什么东西的时候，会让人联想起闪电或是舞动着的剑影。要使这样一对冰冷的眼睛充满柔情，那必定得是特别强大的爱情，而且得为了一个确实值得爱的女人才行。

他走过来，对母亲说："您好！钟雨同志，好久不见了。"

"您好！"母亲牵着我的那只手突然变得冰凉，而且轻轻地颤抖着。

他们面对面地站着，脸上带着凄厉的甚至是严峻的神情，谁也不看着谁。母亲瞧着路旁那些还没有抽出嫩芽的灌木丛。他呢，却看着我："已经长成大姑娘了。真好，太好了，和妈妈长得一样。"

他没有和母亲握手，却和我握了握手。而那手也和母亲的手一样，也是冰冷的，也是轻轻地颤抖着的。我好像变成了一路电流的导体，立刻感到了震动和压抑。我很快地从他的手里抽出我的手，说道："不好，一点也不好！"

他惊讶地问我："为什么不好？"或许我以为他故作惊讶。因为凡是孩子们说了什么直率得可爱的话的时候，大人们都会显出这副神态的。

我看了看妈妈的面孔。是，我真像她。这让我有些失望："因为她不漂亮！"

他笑了起来，幽默地说："真可惜，竟然有个孩子嫌自己的妈妈不漂亮。记得吧？一九五三年你妈妈刚调到北京，带你来机关报到的那一天？她把你这个小淘气留在了走廊外面，你到处串楼梯，扒门缝，在我房间的门上夹疼了手指头。你哇啦哇啦地哭着，我抱着你去找妈妈？"

"不，我不记得了。"我不大高兴，他竟然提起我穿开裆裤时代的事情。

"啊，还是上了年纪的人不容易忘记。"他突然转身向我的母亲说，"您最近写的那部小说我读过了。我要坦率地说，有一点您写得不准确。您不该在作品里非难那位女主人公……要知道，一个人对另一个人产生感情原没有什么可以非议的地方，她并没有伤害另一个人的生活……其实，那男主人公对她也会有感情的。不过为了另一个人的快乐，他们不得不割舍自己的爱情……"

这时，有一个交通民警走到停放小汽车的地方，大声地训斥着司机车停的不是地方。司机为难地解释着。他停住了说话，回头朝那边望了望，匆匆地说了声："再见！"便大步走到汽车旁边，向那民警说："对不起，这不怪司机，是我……"

我看着这上了年纪的人，也俯首帖耳地听着民警的训斥，觉得很是有趣。

当我把顽皮的笑脸转向母亲的时候，我看见她是怎样的窘迫呀！就像小学校里一个一年级的小女孩，凄凄惶惶地站在那严厉的校长面前一样，好像那民警训斥的是她。

汽车开走了，留下了一道轻烟。很快地，就连这道轻烟也随风消散了，好像什么都没有发生过，而我，不知道为什么却没有很快地忘记。

现在回想起来，他准是以他那强大的精神力量引动了母亲的心。那强大的精神力量来自他那成熟而坚定的政治头脑，他在动荡的革命时代的出生入死的经历，他活跃的思维，工作的魄力，文学艺术上的素养……而且——说起来奇怪，他和母亲一样喜欢双簧管。对了，她准是崇拜他。她说过，要是她不崇拜那个人，那爱情准连一天也维持不了。

至于他爱不爱我的母亲，我就猜不透了。要是他不爱她，为什么笔记本里会有这样一段记载呢？

“这礼物太厚重了。不过您怎么知道我喜好契诃夫呢？”

“你说过的！”

“我不记得了。”

“我记得。”

原来那套契诃夫小说选集是他送给母亲的。对于她，那几乎就是爱情的信物。

没准，他这个不相信爱情的人，到了头发都白了的时候才意识到他心里也有那种可以称为爱情的东西存在。这可真够凄惨的。

关于他，能够回到我的记忆里来的就是这么一小点。

她那么迷恋他，却又得不到他的心情有多么苦呀！为了看一眼他乘的那辆小车以及从汽车的后窗里看一眼他的后脑勺，她怎样煞费苦心地计算过他上下班可能经过那条马路的时间；每当他在台上作报告，她坐在台下，隔着距离、烟雾、昏暗的灯光，攒动的人头，看着他那模糊不清的面孔，她便觉得心里好像有什么东西凝固了，泪水会不由得充满她的眼眶。为了把自己的泪水瞒住别人，她使劲地咽下它们。逢到他咳嗽得讲不下去，她就会揪心地想到为什么没人阻止他吸烟？担心他又会犯了气管炎。她不明白为什么他离她那么近而又那么遥远？

他呢，为了看见她一眼，天天，从小车的小窗里，眼巴巴地瞧着自行车道上流水一样的自行车，闹得眼花缭乱，担心着她那辆自行车的闸灵不灵，会不会出车祸；逢到万一有个不开会的夜晚，他会不乘小车，自己费了许多周折来到我们家的附近，不过是为了从我们家的大院门口走这么一趟；他在百忙中也不会忘记注意着各种报刊，为的是看一看有没有我母亲发表的作品。他不能明白，为什么生活偏偏是这样安排着的?

可是，临到他们难得在机关大院里碰了面，他们又在竭力地躲避着对方，匆匆地点个头便赶紧地走开去。即使这样，也足以使我母亲失魂落魄，失去听觉、视觉和思维的能力，世界立刻会变成一片空白……如果那时她遇见一个叫老王的同志，她一定会叫人家老郭，对人家说些连她自己也听不懂的话。

她一定死死地挣扎过，因为她写道：

我们曾经相约：让我们互相忘记。可是我欺骗了你，我没有忘记。我想，你也同样没有忘记。我们不过是在互相欺骗着，把我们的苦楚深深地隐藏着。不过我并不是有意要欺骗你，我曾经多么努力地去实行它。有多少次我有意地滞留在远离北京的地方，把希望寄托在时间和空间上，我甚至觉得我似乎忘记了。可是等到我出差回来，火车离北京越来越近的时候，我简直承受不了冲击得使我头晕眼花的心跳。我是怎样急切地站在月台上张望，好像有什么人在等着我似的。不，当然不会有。我明白了，什么也没有忘记，一切都还留在原来的地方。年复一年，就跟一棵大树一样，它的根却越来越深地扎下去，想要拔掉这生了根的东西实在太困难了，我无能为力。

每当一天过去，我总是觉得忘记了什么重要的事情，或是夜里突然从梦中惊醒：发生了什么事情?！不，什么也没有发生，我清清楚楚地意识到：没有你，于是什么都显得是有缺陷的，不完满的，而且是没有任何东西可以弥补的。我们已经到了这一生快要完结的时候了，为什么还要像小孩子一样地忘情？为什么生活总是让人经过艰辛的跋涉之后才把你追求了一生的梦想展现在你的眼前？而这梦想因为当初闭着眼睛走路，不但在岔道上错过了，而且这中间还隔着许多不可逾越的沟壑。

对了，每每母亲从外地出差回来，她从不让我去车站接她，她一定愿意自己孤零零地站在月台上，享受他去接她的那种幻觉。她，头发都白了的、可怜的妈妈，简直就像个痴情的女孩子。

那些文字并没有多少是叙述他们的爱情的，而多半记载的都是她生活里的一些琐事：她的文章为什么失败，她对自己的才能感到了惶惑和猜疑；珊珊（就是我）为什么淘气，该不该罚她；因为心神恍惚她看错了戏票上的时间，错过了一场多么好的话剧；她出去散步，忘了带伞，淋得像个落汤鸡……

她的精神明明日日夜夜都和他在一起，就像一对恩爱的夫妻。其实，把他们这一辈子接触过的时间累计起来计算，也不会超过二十四小时。而这二十四小时，大约比有些人一生享受到的东西还深、还多。莎士比亚笔下的朱丽叶说过："我不能清算我财富的一半。"大约，她也不能清算她的财富的一半。

似乎他在"文化大革命"中死于非命。也许因为当时那种特定的历史条件，这一段的文字记载相当含糊和隐晦。我奇怪我那因为写文章而受着那么厉害的冲击的母亲，是用什么办法把这习惯坚持下来的。从这隐晦的文字里，我还是可以猜得出，他大约是对那位红极一世、权极一时的"理论权威"的理论提出了疑问，并且不知对谁说过："这简直就是右派言论。"从母亲那沾满泪痕的纸页上可以看出，他被整得相当惨，不过那老头子似乎十分坚强，从没有对这位有大来头的人物低过头，直到死的时候，留下来的最后一句话还是："就是到了马克思那里，这个官司也非得打下去不可！"

这件事一定发生在六九年的冬天。因为在那个冬天里，还刚近五十岁的母亲一下子头发全白了。而且，她的手臂上还缠上了一道黑纱。那时，她的处境也很难。为了这条黑纱，她挨了好一顿批斗，说她坚持四旧，并且让她交代这是为了谁。

"妈妈，这是为了谁？"我惊恐地问她。

"为一个亲人！"然后怕我受惊似的解释着，"一个你不熟悉的亲人！"

"我要不要戴呢？"她做了一个许久都没有对我做过的动作，用手拍了拍我的脸颊，就像我小的时候她常做的那样。她好久都没有显出过这么温柔的样子了。我常觉得，随着她的年龄和阅历的增长，特别是那几年她所受过的折磨，那种温柔的东西似乎离她越来越远了，也或许是被她越藏越深了，以致常常让我感到她像个男人。

她恍惚而悲凉地笑了笑，说：“不，你不用戴。”

她那双又干又涩的眼睛显得没有一点水分，好像已经把眼泪哭干了。我很想安慰她，或做点什么使她高兴的事。她却说：“去吧！”

我当时不知为什么生出了一种恐怖的感觉，我觉得我那亲爱的母亲似乎有一半已经随着什么离我而去了。我不由地叫了一声：“妈妈！”

我的心情一定被我那敏感的妈妈一览无余地看透了。她温和地对我说：“别怕，去吧！让我自己待一会儿。”

我没有错，因为她的确这样写着：

你去了，似乎我灵性里的一部分也随你而去了。

我甚至不能知道你的下落，更谈不上最后看你一眼。我也没有权利去向他们质询，因为我既不是亲眷又不是生前好友……我们便这样地分离了。我恨不能为你承担那非人的折磨，而应该让你活下去！为了等到昭雪的那一天，为了你将重新为这个社会工作，为了爱你的那些个人们，你都应该活着啊！

我从不相信你是什么三反分子，你是被杀害的、最优秀中间的一个。假如不是这样，我怎么会爱你呢？我已经不怕说出这三个字。

纷纷扬扬的大雪不停地降落着。天哪，连上帝也是这样的虚伪，他用一片洁白覆盖了你的鲜血和这谋杀的丑恶。

我从没有拿我自己的存在当成一回事。可现在，我无时不在想，我的一言一行会不会惹得你严厉地皱起你那双浓密的眉毛？我想到我要好好地活着，好好地生活，像你那样，为我们这个社会——它不会总像现在这样，惩罚的利剑已经悬在那帮狗男女的头上——真正做一点工作。

我独自一人，走在我们唯一一次曾经一同走过的那条柏油小路上。听着我一个人的脚步声在沉寂的夜色里响着、响着……我每每在这小路上徘徊、流连，哪一次也没有像现在这样使我肝肠寸断。那时，你虽然也不在我身边，但我知道，你还在这个世界上，我便觉得你在伴随着我，而今，你的的确确不在了，我真不能相信！

我走到了小路的尽头，又折回去，重新开始，再走一遍。

我弯过那道栅栏，习惯地回头望去，好像你还在那里，向我挥手告别。

我们曾淡淡地、心不在焉地微笑着，像两个没有什么深交的人，为的是尽力地掩饰我们心里那镂骨铭心的爱情。那是一个没有一点诗意的初春的夜晚，依然在刮着冷峭的风。我们默默地走着，彼此离得很远。你因为长年害着气管炎，微微地喘息着。我心疼你，想要走得慢一点。可不知为什么却不能。

我们走得飞快，好像有什么重要的事情在等着我们去做，我们非得赶快走完这段路不可。我们多么珍惜这一生中唯一的一次“散步”，可我们分明害怕，怕我们把持不住自己，会说出那可怕的、折磨了我们许多年的那三个字：“我爱你。”除了我们自己，大概这个世界上没有一个活着的人会相信我们连手也没有握过一次！更不要说到其他！

不，妈妈，我相信，再没有人能像我那样眼见过你敞开的灵魂。

啊，那条柏油小路，我真不知道它是那样充满了辛酸的回忆的一条小路。

我想，我们切不可忽略世界上任何一个最不起眼的小角落，谁知道呢？那些意想不到的小角落会沉默地缄藏着多少隐秘的痛苦和欢乐呢？

当她写东西写得疲倦了的时候，她还会沿着我们窗后的那条柏油小路慢慢地踱来踱去。有时是彻夜不眠后的清晨，有时甚至是月黑风高的夜晚，哪怕是在冬天，哪怕峭厉的风像发狂的野兽似的吼叫，卷着沙石噼里啪啦地敲打着窗棂……那时，我只以为那不过是她的一种怪癖，却不知她是去和他的灵魂相会。

她还喜欢站在窗前，瞅着窗外的那条柏油小路出神。有一次，她显出那样奇特的神情，以致我以为柏油小路上走来了我们最熟悉的、最欢迎的客人。

我连忙凑到窗前，在深秋的傍晚，只有冷风卷着枯黄的落叶，飘过那空荡荡的小路的路面。

好像他还活着一样，用文字和他倾心交谈的习惯并没有因为他的去世而中断。直到她自己拿不起来笔的那一天。在最后一页上，她对他说了最后的话：——我是一个信仰唯物主义的人。现在我却希冀着天国，倘若真有所谓天国，我知道，你一定在那里等待着我。我就要到那里去和你相会，我们将永远在一起，再也不会分离。再也不必怕影响另一个人的生活而割舍我们自己。亲爱的，等着我，我就要来了——我真不知道，妈妈，在她行将就木的这一天，还会爱得那么沉重。像她自己所说的，那是镂骨铭心的。我觉得那简直不是爱，而是一种疾痛，或是比死亡更强大的一种力量。假如世界上真有所谓不朽的爱，这也就是极限了。

她分明至死都感到幸福：她真正地爱过。她没有半点遗憾。

如今，他们的皱纹和白发早已从碳水化合物变成了其他的什么元素。可我知道，不管他们变成什么，他们仍然在相爱。尽管没有什么人间的法律和道义把他们拴在一起，尽管他们连一次手也没有握过，他们却完完全全地占有着对方。那是什么都不能分离的。哪怕千百年过去，只要有一朵白云追逐着另一朵白云，一棵青草傍依着另一棵青草，一层浪花拍打着另一层浪花，一阵轻风紧跟着另一阵轻风，相信我，那一定就是他们。

每每我看着那些题着"爱，是不能忘记的"笔记本，我就不能抑制住自己的眼泪。我哭，我不止一次地痛哭，仿佛遭了这凄凉而悲惨的爱情的是我自己。这要不是大悲剧就是大笑话。别管它多么美，多么动人，我可不愿意重复它！

英国大作家哈代说过："呼唤人的和被呼唤的很少能互相答应。"我已经不能从普通意义上的道德观念去谴责他们应该或是不应该相爱。我要谴责的却是：为什么他们不互相等待着那个呼唤着自己的灵魂？

如果我们都能够互相等待，而不糊里糊涂地结婚，我们会免去多少这样的悲剧哟！

到了共产主义，还会不会发生这种婚姻和爱情分离着的事情呢？既然世界这么大，互相呼唤的人也就可能有互相不能答应的时候，那么说，这样的事情还会发生？可是，那是多么悲哀啊！可也许到了那时，便有了解脱这悲哀的办法！

我为什么要钻牛角尖呢？

说到底，这悲哀也许该由我们自己负责。谁知道呢？也说不定还得由过去的生活所遗留下来的那种旧意识负责。因为一个人要是老不结婚，就会变成对这种意识的一种挑战。有人就会说你的神经出了毛病，或是你有什么见不得人的隐私，或是你政治上出了什么问题，或是你刁钻古怪，看不起凡人，不尊重千百年来的社会习惯，你准是个离经叛道的邪人。总之，他们会想出种种庸俗无聊的玩意儿来糟蹋你。于是，你只好屈从这种意识的压力，草草地结婚了事。把那不堪忍受的婚姻和爱情分离着的镣铐套到自己的脖子上去，来日又会为这不能摆脱的镣铐而受苦终身。

我真想大声疾呼："别管人家的闲事吧，让我们耐心地等待着，等着那呼唤我们的人，即使等不到也不要糊里糊涂地结婚！不要担心这么一来独身生活会成为一种可怕的灾难。要知道，这兴许正是社会生活在文化、教养、趣味等等方面进化的一种表现！"

陈奂生上城

高晓声

纵览四十年来当代文学长廊中形形色色的典型人物，陈奂生是不可或缺的一位，他是继阿 Q 之后又一个具有深层次文化含义的农民形象。陈奂生的价值在于他折射出社会转型期农民在观念上的重塑。他由默默无言，到村上人人都要听他讲，他从没有帽子，到舍得花钱买一顶簇新的、呱呱叫的帽子，很显然，高晓声的笔触已经楔入温饱后农民的精神肌理，毕竟，“说话”是自由的体现，而“帽子”则是自尊的象征。

老藤

《人民文学》1980 年 2 期

一

"漏斗户主"陈奂生，今日悠悠上城来。

一次寒潮刚过，天气已经好转，轻风微微吹，太阳暖烘烘，陈奂生肚里吃得饱，身上穿得新，手里提着一个装满东西的干干净净的旅行包，也许是气力大，也许是包儿轻，简直像拎了束灯草，晃荡晃荡，全不放在心上。他个儿又高、腿儿又长，上城三十里，经不起他几晃荡；往常挑了重担都不乘车，今天等于是空身，自更不用说，何况太阳还高，到城嫌早，他尽量放慢脚步，一路如游春看风光。

他到城里去干啥？他到城里去做买卖。稻子收好了，麦垄种完了，公粮余粮卖掉了，口粮柴草分到了，趁这个空当，出门活动活动，赚几个活钱买零碎。自由市场开放了，他又不投机倒把，卖一点农副产品，冠冕堂皇。

他去卖什么？卖油绳。自家的面粉，自家的油，自己动手做成的。今天做好今天卖，格啦嘣脆，又香又酥，比店里的新鲜，比店里的好吃，这旅行包里装的尽是它；还用小塑料袋包装好，有五根一袋的，有十根一袋的，又好看，又干净。一共六斤，卖完了，稳赚三元钱。

赚了钱打算干什么？打算买一顶簇新的、呱呱叫的帽子。说真话，从三岁以后，四十五年来，没买过帽子。解放前是穷，买不起；解放后是正当青年，用不着；“文化大革命”以来，肚子吃不饱，顾不上穿戴，虽说年纪到把，也怕脑后风了。正在无可奈何，幸亏有人送了他一顶“漏斗户主”帽，也就只得戴上，横竖不要钱。七八年决分以后，帽子不翼而飞，当时只觉得头上轻松，竟不曾想到冷。今年好像变娇了，上两趟寒流来，就缩头缩颈，伤风打喷嚏，日子不好过，非买一顶帽子不行。好在这也不是大事情，现在活路大，这几个钱，上一趟城就赚到了。

陈奂生真是无忧无虑，他的精神面貌和去年大不相同了。他是过惯苦日子的，现在开始好起来，又相信会越来越好，他还不满意么？他满意透了。他身上有了肉，脸上有了笑；有时候半夜里醒过来，想到囤里有米、橱里有衣，总算像家人家了，就兴致勃勃睡不着，禁不住要把老婆推醒了陪他聊天讲闲话。

提到讲话，就触到了陈奂生的短处，对着老婆，他还常能说说，对着别人，往往默默无言。他并非不想说，实在是无话可说。别人能说东道西，扯三拉四，他非常羡慕。他不知道别人怎么会碰到那么多新鲜事儿，怎么会想得出那么多特别的主意，怎么会具备那么多离奇的经历，怎么会记牢那么多怪异的故事，又怎么会讲得那么动听。他毫无办法，简直犯了死症毛病，他从来不会打听什么，上一趟街，回来只会说“今天街上人多”或“人少”、“猪行里有猪”、“青菜贱得卖不掉”……之类的话。他的经历又和村上大多数人一样，既不特别，又是别人一目了然的，讲起来无非是“小时候娘常打我的屁股，爹倒不凶”、“也算上了四年学，早忘光了”、“三九年大旱，断了河底，大家捉鱼吃”、“四九年改朝换代，共产党打败了国民党”、“成亲以后，养了一个儿子、一个小女”……索然无味，等于不说。他又看不懂书；看戏听故事，又记不牢。看了《三打白骨精》，老婆要他讲，他也只会说：“孙行者最凶，都是他打死的。”老婆不满足，又问白骨精是谁，他就说：“是妖怪变的。”还是儿子巧，声明“白骨精不是妖怪变的，是白骨精变成的妖怪”才算没有错到底。他又想不出新鲜花样来，比如种田，只会讲“种麦要用锄头抨碎泥块”、“莳秧一蔸莳六棵”……谁也不要听。再如这卖油绳的行当，也根本不是他发明的，好些人已经做过一阵了，怎样用料？怎样加工？怎样包装？什么价钱？多少利润？什么地方、什么时间买客多、销路好？都是向大家学来的经验。如果他再向大家夸耀，岂不成了笑话！甚至刻薄些的人还会吊他的背筋：“嗳！连‘漏斗户主’

也有油、粮卖油绳了，还当新闻哩！”还是不开口也罢。

如今，为了这点，他总觉得比别人矮一头。黄昏空闲时，人们聚拢来聊天，他总只听不说，别人讲话也总不朝他看，因为知道他不会答话，所以就像等于没有他这个人。他只好自卑，他只有羡慕。他不知道世界上有“精神生活”这一个名词，但是生活好转以后，他渴望过精神生活。哪里有听的，他爱去听，哪里有演的，他爱去看，没听没看，他就觉得没趣。有一次大家闲谈，一个问题专家出了个题目：“在本大队你最佩服哪一个？”他忍不住也答了腔，说：“陆龙飞最狠。”人家问：“一个说书的，狠什么？”他说：“就为他能说书，我佩服他一张嘴。”引得众人哈哈大笑。

于是，他又惭愧了，觉得自己总是不会说，又被人家笑，还是不说为好。他总想，要是能碰到一件大家都不曾经过的事情，讲给大家听听就好了，就神气了。

二

当然，陈奂生的这个念头，无关大局，往往蹲在离脑门三四寸的地方，不大跳出来，只是在尴尬时冒一冒尖，让自己存个希望罢了。比如现在上城卖油绳，想着的就只是新帽子。

尽管放慢脚步，走到县城的时候，还只下午六点不到。他不忙做生意，先就着茶摊，出一分钱买了杯热茶，啃了随身带着当晚餐的几块僵饼，填饱了肚子，然后向火车站走去。一路游街看店，遇上百货公司，就弯进去侦察有没有他想买的帽子，要多少价钱。三爿店查下来，他找到了满意的一种。这时候突然一拍屁股，想到没有带钱。原先只想卖了油绳赚了利润再买帽子，没想到油绳未卖之前商店就要打烊；那么，等到赚了钱，这帽子就得明天才能买了。可自己根本不会在城里住夜，一无亲，二无眷，从来是连夜回去的，这一趟分明就买不成，还得光着头冻几天。

受了这点挫折，心情挺不愉快，一路走来，便觉得头上凉飕飕，更加懊恼起来。到火车站时，已过八点了。时间还早，但既然来了，也就选了一块地方，敞开包裹，亮出商品，摆出摊子来。这时车站上人数不少，但陈奂生知道难得会有顾客，因为这些都是吃饱了晚饭来候车的，不会买他的油绳，除非小孩嘴馋吵不过，大人才会买。只有火车上下车的旅客到了，生意才会忙起来。他知道九点四十分、十点半，各有一班车到站，这油绳到那时候才能卖掉，因为时近半夜，店摊收歇，能买到吃的地方不多，旅客又饿了，自然争着买。如果十点半卖不掉，十一点二十分还有一班车，不过太晏了，陈奂生宁可剩点回去也不想等，免得一夜不得睡，须知跑回去也是三十里啊。

果然不错，这些经验很灵，十点半以后，陈奂生的油绳就已经卖光了。下车的旅客一拥而上，七手八脚，伸手来拿，把陈奂生搞得昏头昏脑，卖完一算账，竟少了三角钱，因为头昏，怕算错了，再认真算了一遍，还是缺三角，看来是哪个贪小利拿了油绳未付款。他叹了一口气，自认晦气。本来他也晓得，人家买他的油绳，是不能向公家报销的，那要吃而不肯私人掏腰包的，就会耍一点魔术，所以他总是特别当心，可还是丢失了，真是双拳不敌四手，两眼难顾八方。只好认了吧，横竖三块钱赚头，还是有的。

他又叹了口气，想动身回府。谁知一站起来，双腿发软，两膝打颤，竟是浑身无力。他不觉大吃一惊，莫非生病了吗？刚才做生意，精神紧张，不曾觉得，现在心定下来，才感浑身不适，原先喉咙嘶哑，以为是讨价还价喊哑的，现在连口腔上爿都像冒烟，鼻气火热；一摸额头，果然滚烫，一阵阵冷风吹得头皮好不难受。他毫无办法，只想先找杯热茶解渴。那时茶摊已无，想起车站上有个茶水供应地方，便强撑着移步过去。到了那里，打开龙头，热水倒有，只是找不到茶杯。原来现在讲究卫生，旅客大都自带茶缸，车站上落得省劲，就把杯子节约掉了。陈奂生也顾不得卫生不卫生，双手捧起龙头里流下的水就喝。那水倒也有点烫，但陈奂生此时手上的热度也高，还忍得住，喝了几口，算是好过一点。但想到回家，竟是千难万难；平常时候，那三十里路，好像经不起脚板一颠，现在看来，真如隔了十万八千里，实难登程。他只得找个位置坐下，耐性受痛，觉得此番遭遇，完全错在忘记了带钱先买帽子，才受凉发病。一招走错，满盘皆输；弄得上不上、下不下，进不得、退不得，卡在这儿，真叫尴尬。万一严重起来，此地举目无亲，耽误就医吃药，岂不要送掉老命！可又一想，他陈奂生是个堂堂男子汉，一生干净，问心无愧，死了也口眼不闭；活在世上多种几年田，有益无害，完全应该提供宽裕的时间，没有任何匆忙的必要。想到这里，陈奂生高兴起来，他嘴巴干燥，笑不出声，只是两个嘴角，向左右同时嘻开，露出一个微笑。那扶在椅上的右手，轻轻提了起来，像听到了美妙的乐曲似的，在右腿上赏心地拍了一拍，松松地吐出口气，便一头横躺在椅子上卧倒了。

三

一觉醒来，天光已经大亮，陈奂生体肢瘫软，头脑不清，眼皮发沉，喉咙痒痒地咳了几声；他懒得睁眼，翻了一个身便又想睡。谁知此身一翻，竟浑身颤了几颤，一颗心像被线穿着吊了几吊，牵肚挂肠。他用手一摸，身下贼软；连忙一个翻身，低头望去，证实自己猜得一点不错，是睡在一张棕绷大床上。陈奂生吃了一惊，连忙平躺端正，闭起眼睛，要弄清楚怎么会到这里来的。他好像有点印象，一时又糊涂难记，只得细细琢磨，好不容易才想出了县委吴书记和他的汽车，一下子理出头绪，把一串细关节脉都拉了出来。

原来陈奂生这一年真交了好运，逢到急难，总有救星。他发高烧昏睡不久，候车室门口就开来一部吉普车，载来了县委书记吴楚。他是要乘十二点一刻那班车到省里去参加明天的会议。到火车站时，刚只十一点四十分，吴楚也就不忙，在候车室徒步起来，那司机一向要等吴楚进了站台才走，免得他临时有事找不到人，这次也照例陪着。因为是半夜，候车室旅客不多，吴楚转过半圈，就发现了睡着的陈奂生。吴楚不禁笑了起来，他今秋在陈奂生的生产队里蹲了两个月，一眼就认出他来，心想这老实肯干的忠厚人，怎么在这儿睡着了？若要乘车，岂不误事。便走去推醒他；推了一推，又发现那屁股底下，垫着个瘪包，心想坏了，莫非东西被偷了？就着紧推他，竟也不醒。这吴楚原和农民玩惯了的，一时调皮起来，就去捏他的鼻子；一摸到皮肤热辣辣的，才晓得他病倒了，连忙把他扶起，总算把他弄醒了。

这些事情，陈奂生当然不晓得。现在能想起来的，是自己看到吴书记之后，就一把抓牢，听到吴书记问他："你生病了吗？"他点点头。吴书记问他："你怎么到这里来的？"他就去摸了摸旅行包。吴书记问他："包里的东西呢？"他就笑了一笑。当时他说了什么？究竟有没有说？他都不记得了；只记得吴书记好像已经完全明白了他的意思，便和驾驶员一同扶他上了车，车子开了一段路，叫开了机关门诊室，扶他下车进去，见到了一个穿白衣服的人，晓得是医生了。那医生替他诊断片刻，向吴书记笑着说了几句话，倒过半杯水，让他吃了几片药，又包了一点放在他口袋里，也不曾索钱，便代替吴书记把他扶上了车，还关照说：“我这儿没有床，住招待所吧，安排清静一点的地方睡一夜就好了。”车子又开动，又听吴书记说：“还有十三分钟了，先送我上车站，再送他上招待所，给他一个单独房间，就说是我的朋友……”

陈奂生想到这里，听见自己的心扑扑跳得比打钟还响，合上的眼皮，流出晶莹的泪珠，在眼角膛里停留片刻，便一条线挂下来了。这个吴书记真是大好人，竟看得起他陈奂生，把他当朋友，一旦有难，能挺身而出，拔刀相助，救了他一条性命，实在难得。

陈奂生想，他和吴楚之间，其实也谈不上交情，不过认识罢了。要说有什么私人交往，平生只有一次。记得秋天吴楚在大队蹲点，有一天突然闯到他家来吃了一顿便饭，听那话音，像是特地来体验体验“漏斗户”的生活改善到什么程度的。还带来了一斤块块糖，给孩子们吃。细算起来，等于两顿半饭钱。那还算什么交情呢！说来说去，是吴书记做了官不曾忘记老百姓。

陈奂生想罢，心头暖烘烘，眼泪热辣辣，在被口上拭了拭，便睁开来细细打量这住的地方，却又吃了一惊。原来这房里的一切，都新堂堂、亮澄澄，天花板白得耀眼，四周的墙，用青漆漆了一人高，再往上就刷刷白，地板暗红闪光，照出人影子来；紫檀色五斗橱，嫩黄色写字台，更有两张出奇的矮凳，比太师椅还大，里外包着皮，也叫不出它的名字来。再看床上，垫的是花床单，盖的是新被子，雪白的被底，崭新的绸面，呱呱叫三层新。陈奂生不由自主地立刻在被窝里缩成一团，他知道自己身上不大干净，生怕弄脏了被子……随即悄悄起身，悄悄穿好了衣服，不敢弄出一点声音来，好像做了偷儿，被人发现就会抓住似的。他下了床，把鞋子拎在手里，光着脚跑出去；又眷顾着那两张大皮椅，走近去摸一摸，轻轻捺了捺，知道里边有弹簧，却不敢坐，怕压瘪了弹不饱。然后才真的悄悄开门，走出去了。

到了走廊里，脚底已冻得冰冷，一瞧别人是穿了鞋走路的，知道不碍，也套上了鞋。心想吴书记照顾得太好了，这哪儿是我该住的地方！一向听说招待所的住宿费贵，我又没处报销，这样好的房间，不知要多少钱，闹不好，一夜天把顶帽子钱住掉了，才算不来呢。

他心里不安，赶忙要弄清楚。横竖他要走了，去付了钱吧。

他走到门口柜台处，朝里面正在看报的大姑娘说：“同志，算账。”

"几号房间？"那大姑娘恋着报纸说，并未看他。

"几号不知道。我住在最东那一间。"

那姑娘连忙丢了报纸，朝他看看，甜甜地笑着说："是吴书记汽车送来的？你身体好了吗？"

"不要紧，我要回去了。"

"何必急，你和吴书记是老战友吗？你现在在哪里工作？……"大姑娘一面软款款地寻话说，一面就把开好的发票交给他，笑得甜极了。陈奂生看看她，真是绝色！

但是，接到发票，低头一看，陈奂生便像给火钳烫着了手。他认识那几个字，却不肯相信。"多少？"他忍不住问，浑身燥热起来。

"五元。"

"一夜天？"他冒汗了。

"是一夜五元。"

陈奂生的心，忐忑大跳。"我的天！"他想，"我还怕困掉一顶帽子，谁知竟要两顶！"

"你的病还没有好，还正在出汗呢！"大姑娘惊怪地说。

千不该，万不该，陈奂生竟说了一句这样的外行语："我是半夜里来的呀！"

大姑娘立刻看出他不是一个人物，她不笑了，话也不甜了，像菜刀剁着砧板似的笃笃响着说："不管你什么时候来，横竖到今午十二点为止，都收一天钱。"这还是客气的，没有嘲笑他，是看了吴书记的面子。

陈奂生看着那冷若冰霜的脸，知道自己说错了话，得罪了人，哪里还敢再开口，只得抖着手伸进袋里去摸钞票，然后细细数了三遍，数定了五元；交给大姑娘时，那外面一张人民币，已经半湿了，尽是汗。

这时大姑娘已在看报，见递来的钞票太零碎，更皱了眉头。但她还有点涵养，并不曾说什么，收进去了。

陈奂生出了大价钱，不曾讨得大姑娘欢喜，心里也有点忿忿然。本想一走了之，想到旅行包还丢在房间里，就又回过来。

推开房间，看看照出人影的地板，又站住犹豫："脱不脱鞋？"一转念，忿忿想道："出了五块钱呢！"再也不怕弄脏，大摇大摆走了进去，往弹簧太师椅上一坐："管它，坐瘪了不关我事，出了五元钱呢。"

他饿了，摸摸袋里还剩一块僵饼，拿出来啃了一口，看见了热水瓶，便去倒一杯开水和着饼吃。回头看刚才坐的皮凳，竟没有瘪，便故意立直身子，扑通坐下去……试了三次，也没有坏，才相信果然是好家伙，便安心坐着啃饼，觉得很舒服。头脑清爽，热度退尽了，分明是刚才出了一身大汗的功劳。他是个看得穿的人，这时就有了兴头，想道："这等于出晦气钱——譬如买药吃掉！"

啃完饼，想想又肉痛起来，究竟是五元钱哪！他昨晚上在百货店看中的帽子，实实在在是二元五一顶，为什么睡一夜要出两顶帽钱呢？连沈万山都要住穷的；他一个农业社员，去年工分单价七角，困一夜做七天还要倒贴一角，这不是开了大玩笑！从昨半夜到现在，总共不过七八个钟头，几乎一个钟头要做一天工，贵死人！真是阴错阳差，他这副骨头能在那种床上躺尸吗！现在别的便宜拾不着，大姑娘说可以住到十二点，那就再困吧，困到足十二点走，这也是捞着多少算多少。对，就是这个主意。

这陈奂生确是个向前看的人，认准了自然就干，但刚才出了汗，吃了东西，脸上嘴上，都不惬意，想找块毛巾洗脸，却没有。心一横，便把提花枕巾捞起来干擦了一阵，然后衣服也不脱，就盖上被头困了，这一次再也不怕弄脏了什么，他出了五元钱呢。——即使房间弄成了猪圈，也不值！

可是他睡不着，他想起了吴书记。这个好人，大概只想到关心他，不曾想到他这个人经不起这样高级的关心。不过人家忙着赶火车，哪能想得周全！千怪万怪，只怪自己不曾先买帽子，才伤了风，才走不动，才碰着吴书记，才住招待所，才把油绳的利润搞光，连本钱也蚀掉一块多……那么，帽子还买不买呢？他一狠心：买，不买还要倒霉的！

想到油绳，又觉得肚皮饿了。那一块僵饼，本来就填不饱，可惜昨夜生意太好，油绳全卖光了，能剩几袋倒好；现在懊悔已晚，再在这床上困下去，会越来越饿，身上没有粮票，中饭到哪里去吃！到时候饿得走不动，难道再在这儿住一夜吗？他慌了，两脚一蹬，把被头踢开，拎了旅行包，开门就走。此地虽好，不是久恋之所，虽然还剩得有两三个钟点，又带不走，忍痛放弃算了。

他出得门来，再无别的念头，直奔百货公司，把剩下来的油绳本钱，买了一顶帽子，立即戴在头上，飘然而去。

一路上看看野景，倒也容易走过；眼看离家不远，忽然想到这次出门，连本搭利，几乎全部搞光，马上要见老婆，交不出账，少不得又要受气，得想个主意对付她。怎么说呢？就说输掉了；不对，自己从不赌。就说吃掉了；不对，自己从不死吃。就说被扒掉了；不对，自己不当心，照样挨骂。就说做好事救济了别人；不对，自己都要别人救济。就说送给一个大姑娘了，不对，老婆要犯疑……那怎么办？

陈奂生自问自答，左思右想，总是不妥。忽然心里一亮，拍着大腿，高兴地叫道："有了。"他想到此趟上城，有此一番动人的经历，这五块钱花得值透。他总算有点自豪的东西可以讲讲了。试问，全大队的干部、社员，有谁坐过吴书记的汽车？有谁住过五元钱一夜的高级房间？他可要讲给大家听听，看谁还能说他没有什么讲的！看谁还能说他没见过世面？看谁还能瞧不起他，唔！……他精神陡增，顿时好像高大了许多。老婆已不在他眼里了；他有办法对付，只要一提到吴书记，说这五块钱还是吴书记看得起他，才让他用掉的，老婆保证服帖。哈，人总有得意的时候，他仅仅花了五块钱就买到了精神的满足，真是拾到了非常的便宜货，他愉快地划着快步，像一阵清风荡到了家门……

果然，从此以后，陈奂生的身份显著提高了，不但村上的人要听他讲，连大队干部对他的态度也友好得多，而且，上街的时候，背后也常有人指点着他告诉别人说："他坐过吴书记的汽车。"或者"他住过五块钱一夜的高级房间。"……公社农机厂的采购员有一次碰着他，也拍拍他的肩胛说："我就没有那个运气，三天两头住招待所，也住不进那样的房间。"

从此，陈奂生一直很神气，做起事来，更比以前有劲得多了。

1980年1月

哦，香雪

铁凝

这是一个关于等待与追梦的故事。每天停留一分钟的火车，打通了闭塞落后的小山村台儿沟与外面世界的联系，也为香雪和一群山村少女开启了一扇感受现代文明的窗口，唤醒了她们埋藏于心的、对爱与美和理想的追求。小说描绘了20世纪80年代初的社会变革给山村少女精神世界带来的变化，她们生命意识的觉醒，以及她们逐梦的执着与艰辛。香雪纯真善良、渴望文明、自尊自爱，小说以纯净的诗情、隽永的意境，完成了对生命和生活的礼赞，树立了新时期文学一个独特的美学典范。

《青年文学》1982年5期

如果不是有人发明了火车，如果不是有人把铁轨铺进深山，你怎么也不会发现台儿沟这个小村。它和它的十几户乡亲，一心一意掩藏在大山那深深的褶皱里，从春到夏，从秋到冬，默默地接受着大山任意给予的温存和粗暴。

然而，两根纤细、闪亮的铁轨延伸过来了。它勇敢地盘旋在山腰，又悄悄地试探着前进，弯弯曲曲，曲曲弯弯，终于绕到台儿沟脚下，然后钻进幽暗的隧道，冲向又一道山梁，朝着神秘的远方奔去。

不久，这条线正式营运，人们挤在村口，看见那绿色的长龙一路呼啸，挟带着来自山外的陌生、新鲜的清风，擦着台儿沟贫弱的脊背匆匆而过。它走得那样急忙，连车轮碾轧钢轨时发出的声音好像都在说：不停不停，不停不停！是啊，它有什么理由在台儿沟站脚呢？台儿沟有人要出远门吗？山外有人来台儿沟探亲访友吗？还是这里有石油储存，有金矿埋藏？台儿沟，无论从哪方面讲，都不具备挽住火车在它身边留步的力量。

可是，记不清从什么时候起，列车时刻表上，还是多了“台儿沟”这一站。也许乘车的旅客提出过要求，他们中有哪位说话算数的人和台儿沟沾亲；也许是哪个快乐的男乘务员发现台儿沟有一群十七八岁的漂亮姑娘，每逢列车疾驶而过，她们就成帮搭伙地站在村口，翘起下巴，贪婪、专注地仰望着火车。有人朝车厢指点，不时能听见她们由于互相捶打而发出的一两声娇嗔的尖叫。也许什么都不为，就因为台儿沟太小了，小得叫人心疼，就是钢筋铁骨的巨龙在它面前也不能昂首阔步，也不能不停下来。总之，台儿沟上了列车时刻表，每晚七点钟，由首都方向开往山西的这列火车在这里停留一分钟。

这短暂的一分钟，搅乱了台儿沟以往的宁静。从前，台儿沟人历来是吃过晚饭就钻被窝，他们仿佛是在同一时刻听到了大山无声的命令。于是，台儿沟那一小片石头房子在同一时刻忽然完全静止了，静得那样深沉、真切，好像在默默地向大山诉说着自己的虔诚。如今，台儿沟的姑娘们刚把晚饭端上桌就慌了神，她们心不在焉地胡乱吃几口，扔下碗就开始梳妆打扮。她们洗净蒙受了一天的黄土、风尘，露出粗糙、红润的面色，把头发梳得乌亮，然后就比赛着穿出最好的衣裳。有人换上过年时才穿的新鞋，有人还悄悄往脸上涂点胭脂。尽管火车到站时已经天黑，她们还是按照自己的心思，刻意斟酌着服饰和容貌。然后，她们就朝村口，朝火车经过的地方跑去。香雪总是第一个出门，隔壁的凤娇第二个就跟了出来。

七点钟，火车喘息着向台儿沟滑过来，接着一阵哐哐乱响，车身震颤一下，才停住不动了。姑娘们心跳着拥上前去，像看电影一样，挨着窗口观望。只有香雪躲在后边，双手紧紧捂着耳朵。看火车，她跑在最前边；火车来了，她却缩到最后去了。她有点害怕它那巨大的车头，车头那么雄壮地喷吐着白雾，仿佛一口气就能把台儿沟吸进肚里。它那撼天动地的轰鸣也叫她感到恐惧。在它跟前，她简直像一叶没根的小草。

“香雪，过来呀，看！”凤娇拉过香雪向一个妇女头上指，她指的是那个妇女头上别着的那一排金圈圈。

“怎么我看不见？”香雪微微眯着眼睛。

“就是靠里边那个，那个大圆脸，看，还有手表哪，比指甲盖还小哩！”凤娇又有了新发现。

香雪不言不语地点着头，她终于看见了妇女头上的金圈圈和她腕上比指甲盖还要小的手表。但她也很快就发现了别的。“皮书包！”她指着行李架上一只普通的棕色人造革学生书包。就是那种连小城市都随处可见的学生书包。

尽管姑娘们对香雪的发现总是不感兴趣，但她们还是围了上来。

“哟，我的妈呀，你踩着我脚啦！”凤娇一声尖叫，埋怨着挤上来的一个姑娘。她老是爱一惊一乍的。

“你咋呼什么呀，是想叫那个小白脸和你搭话了吧？”被埋怨的姑娘也不示弱。

“我撕了你的嘴！”凤娇骂着，眼睛却不由自主地朝第三节车厢的车门望去。

那个白白净净的年轻乘务员真下车来了。他身材高大，头发乌黑，说一口漂亮的北京话。也许因为这点，姑娘们私下里都叫他“北京话”。“北京话”双手抱住胳膊肘，和她们站得不远不近地说：“喂，我说小姑娘们，别扒窗户，危险！”

“哟，我们小，你就老了吗？”大胆的凤娇回敬了一句。

姑娘们一阵大笑，不知谁还把凤娇往前一搡，弄得她差点撞在他身上。这一来反倒更壮了凤娇的胆。“喂，你们老待在车上不头晕？”她又问。

“房顶子上那个大刀片似的，那是干什么用的？”又一个姑娘问。她指的是车厢里的电扇。

“烧水在哪儿？”

“开到没路的地方怎么办？”

“你们城市里一天吃几顿饭？”香雪也紧跟在姑娘们后边小声问了一句。

“真没治！”“北京话”陷在姑娘们的包围圈里，不知所措地嘟囔着。

快开车了，她们才让出一条路，放他走。他一边看表，一边朝车门跑去，跑到门口，又扭头对她们说：“下次吧，下次告诉你们！”他的两条长腿灵巧地向上一跨就上了车，接着一阵叽里哐啷，绿色的车门就在姑娘们面前沉重地合上了。列车一头扎进黑暗里，把她们撇在冰冷的铁轨旁边。很久，她们还能感觉到它那越来越轻的震颤。

一切恢复了寂静，静得叫人惆怅。姑娘们走回家去，路上总要为一点小事争论不休：

“谁知道别在头上的金圈圈是几个？”

“八个。”

“九个。”

“不是！”

"就是！"

"凤娇你说哪？"

"她呀，还在想'北京话'哪！"有人开起了凤娇的玩笑。

"去你的，谁说谁就想。"凤娇说着捏了一下香雪的手，意思是叫香雪帮腔。

香雪没说话，慌得脸都红了。她才十七岁，还没学会怎样在这种事上给人家帮腔。

"他的脸多白呀！"那个姑娘还在逗凤娇。

"白？还不是在那大绿屋里捂的。叫他到咱台儿沟住几天试试。"有人在黑影里说。

"可不，城里人就靠捂。要论白，叫他们和咱香雪比比。咱们香雪，天生一副好皮子，再照火车上那些闺女的样儿，把头发烫成弯绕绕，啧啧！'真没治'！凤娇姐，你说是不是？"

凤娇不接茬儿，松开了香雪的手。好像姑娘们真在贬低她的什么人一样，她心里真有点替他抱不平呢。不知怎么的，她认定他的脸绝不是捂白的，那是天生。

香雪又悄悄把手送到凤娇手心里，她示意凤娇握住她的手，仿佛请求凤娇的宽恕，仿佛是她使凤娇受了委屈。

"凤娇，你哑巴啦？"还是那个姑娘。

"谁哑巴啦！谁像你们，专看人家脸黑脸白。你们喜欢，你们可跟上人家走啊！"凤娇的嘴很硬。

"我们不配！"

"你担保人家没有相好的？"

……

不管在路上吵得怎样厉害，分手时大家还是十分友好的，因为一个叫人兴奋的念头又在她们心中升起：明天，火车还要经过，她们还会有一个美妙的一分钟。和它相比，闹点小别扭还算回事吗？

哦，五彩缤纷的一分钟，你饱含着台儿沟的姑娘们多少喜怒哀乐！

日久天长，这五彩缤纷的一分钟，竟变得更加五彩缤纷起来，就在这个一分钟里，她们开始挎上装满核桃、鸡蛋、大枣的长方形柳条篮子，站在车窗下，抓紧时间跟旅客和和气气地做买卖。她们踮着脚，双臂伸得直直的，把整筐的鸡蛋、红枣举上窗口，换回台儿沟少见的挂面、火柴，以及属于姑娘们自己的发卡、香皂。有时，有人还会冒着回家挨骂的风险，换回花色繁多的纱巾和能松能紧的尼龙袜。

凤娇好像是大家有意分配给那个“北京话”的，每次都是她提着篮子去找他。她和他做买卖故意磨磨蹭蹭，车快开时才把整篮的鸡蛋塞给他。要是他先把鸡蛋拿走，下次见面时再付钱，那就更够意思了。如果他给她捎回一捆挂面、两条纱巾，凤娇就一定抽出一斤挂面还给他。她觉得，只有这样才对得起和他的交往，她愿意这种交往和一般的做买卖有所区别。有时她也想起姑娘们的话：“你担保人家没有相好的？”其实，有没有相好的不关凤娇的事，她又没想过跟他走。可她愿意对他好，难道非得是相好的才能这么做吗？

香雪平时话不多，胆子又小，但做起买卖却是姑娘中最顺利的一个。旅客们爱买她的货，因为她是那么信任地瞧着你，那洁如水晶的眼睛告诉你，站在车窗下的这个女孩子还不知道什么叫受骗。她还不知道怎么讲价钱，只说：“你看着给吧。”你望着她那洁净得仿佛一分钟前才诞生的面孔，望着她那柔软得宛若红缎子似的嘴唇，心中会升起一种美好的感情。你不忍心跟这样的小姑娘耍滑头，在她面前，再爱计较的人也会变得慷慨大度。

有时她也抓空儿向他们打听外面的事，打听北京的大学要不要台儿沟人，打听什么叫“配乐诗朗诵”（那是她偶然在同桌的一本书上看到的）。有一回她向一位戴眼镜的中年妇女打听能自动开关的铅笔盒，还问到它的价钱。谁知没等人家回话，车已经开动了。她追着它跑了好远，当秋风和车轮的呼啸一同在她耳边鸣响时，她才停下脚步意识到了，自己的行为是多么可笑啊。

火车眨眼间就无影无踪了。姑娘们围住香雪，当她们知道她追火车的原因后，便觉得好笑起来。

“傻丫头！”

“值不当的！”

她们像长者那样拍着她的肩膀。

“就怪我磨蹭，问慢了。”香雪可不认为这是一件值不当的事，她只是埋怨自己没抓紧时间。

“咳，你问什么不行呀！”凤娇替香雪挎起篮子说。

“谁叫咱们香雪是学生呢。”也有人替香雪分辩。

也许就因为香雪是学生吧，是台儿沟唯一考上初中的人。

台儿沟没有学校，香雪每天上学要到十五里以外的公社。尽管不爱说话是她的天性，但和台儿沟的姐妹们总是有话可说的。公社中学可就没那么多姐妹了，虽然女同学不少，但她们的言谈举止，一个眼神，一声轻轻的笑，好像都是为了叫香雪意识到，她是小地方来的，穷地方来的。她们故意一遍又一遍地问她：“你们那儿一天吃几顿饭？”她不明白她们的用意，每次都认真地回答：“两顿。”然后又友好地瞧着她们反问道：“你们呢？”

“三顿！”她们每次都理直气壮地回答。之后，又对香雪在这方面的迟钝感到说不出的怜悯和气恼。

“你上学怎么不带铅笔盒呀？”她们又问。

“那不是嘛。”香雪指指桌角。

其实，她们早知道桌角那只小木盒就是香雪的铅笔盒，但她们还是做出吃惊的样子。每到这时，香雪的同桌就把自己那只宽大的泡沫塑料铅笔盒摆弄得嗒嗒乱响。这是一只可以自动合上的铅笔盒，很久以后，香雪才知道它所以能自动合上，是因为铅笔盒里包藏着一块不大不小的吸铁石。香雪的小木盒，尽管那是当木匠的父亲为她考上中学特意制作的，它在台儿沟还是独一无二的呢，可在这儿，和同桌的铅笔盒一比，为什么显得那样笨拙、陈旧？它在一阵嗒嗒声中有几分羞涩地畏缩在桌角上。

香雪的心再也不能平静了，她好像忽然明白了同学们对于她的再三盘问，明白了台儿沟是多么贫穷。她第一次意识到这是不光彩的，因为贫穷，同学们才敢一遍又一遍地盘问她。她盯住同桌那只铅笔盒，猜测它来自遥远的大城市，猜测它的价钱肯定非同寻常。三十个鸡蛋换得来吗？还是四十个、五十个？这时她的心又忽地一沉：怎么想起这些了？娘攒下鸡蛋，不是为了叫她乱打主意啊！可是，为什么那诱人的嗒嗒声老是在耳边响个没完？

深秋，山风渐渐凛冽了，天也黑得越来越早。但香雪和她的姐妹们对于七点钟的火车，是照等不误的。她们可以穿起花棉袄了，凤娇头上别起了淡粉色的有机玻璃发卡，有些姑娘的辫梢还缠上了夹丝橡皮筋。那是她们用鸡蛋、核桃从火车上换来的。她们仿照火车上那些城里姑娘的样子把自己武装起来，整齐地排列在铁路旁，像是等待欢迎远方的贵宾，又像是准备着接受检阅。

火车停了，发出一阵沉重的叹息，像是在抱怨台儿沟的寒冷。今天，它对台儿沟表现了少有的冷漠：车窗全部紧闭着，旅客在昏黄的灯光下喝茶，看报，没有人向窗外瞥一眼。那些眼熟的、常跑这条线的人，似乎也忘记了台儿沟的姑娘。

凤娇照例跑到第三节车厢去找她的“北京话”，香雪系紧头上的紫红色线围巾，把臂弯里的篮子换了换手，也顺着车身不停地跑着。她尽量高高地踮起脚，希望车厢里的人能看见她的脸。车上一直没有人发现她，她却在一张堆满食品的小桌上，发现了渴望已久的东西。它的出现，使她再也不想往前走了，她放下篮子，心跳着，双手紧紧扒住窗框，认清了那真是一只铅笔盒，一只装有吸铁石的自动铅笔盒。它和她离得那样近，如果不是隔着玻璃，她一伸手就可以摸到。

一位中年女乘务员走过来拉开了香雪。香雪挎起篮子站在远处继续观察。当她断定它属于靠窗那位女学生模样的姑娘时，就果断地跑过去敲起了玻璃。女学生转过脸来，看见香雪臂弯里的篮子，抱歉地冲她摆了摆手，并没有打开车窗的意思。不知怎么的她朝车门跑去，当她在门口站定时，还一把扒住了扶手。如果说跑的时候她还有点犹豫，那么从车厢里送出来的一阵阵温馨的、火车特有的气息却坚定了她的信心，她学着“北京话”的样子，轻巧地跃上了踏板。她打算以最快的速度跑进车厢，以最快的速度用鸡蛋换回铅笔盒。也许，她所以能够在几秒钟内就决定上车，正是因为她拥有那么多鸡蛋吧，那是四十个。

香雪终于站在火车上了。她挽紧篮子，小心地朝车厢迈出了第一步。这时，车身忽然悸动了一下，接着，车门被人关上了。当她意识到眼前发生了什么事时，列车已经缓缓地向台儿沟告别了。香雪扑在车门上，看见凤娇的脸在车下一晃。看来这不是梦，一切都是真的，她确实离开姐妹们，站在这既熟悉又陌生的火车上了。她拍打着玻璃，冲凤娇叫喊：“凤娇！我怎么办呀，我可怎么办呀！”

列车无情地载着香雪一路飞奔，台儿沟刹那间就被抛在后面了。下一站叫西山口，西山口离台儿沟三十里。

三十里，对于火车、汽车真的不算什么，西山口在旅客们闲聊之中就到了。这里上车的人不少，下车的只有一位旅客，那就是香雪。她胳膊上少了那只篮子，她把它塞到那个女学生座位下面了。

在车上，当她红着脸告诉女学生，想用鸡蛋和她换铅笔盒时，女学生不知怎么的也红了脸。她一定要把铅笔盒送给香雪，还说她住在学校吃食堂，鸡蛋带回去也没法吃。她怕香雪不信，又指了指胸前的校徽，上面果真有“矿冶学院”几个字。香雪却觉着她在哄她，难道除了学校她就没家吗？香雪一面摆弄着铅笔盒，一面想着主意。台儿沟再穷，她也从没白拿过别人的东西。就在火车停顿前发出的几秒钟的震颤里，香雪还是猛然把篮子塞到女学生的座位下面，迅速离开了。

车上，旅客们曾劝她在西山口住一夜再回台儿沟。热情的“北京话”还告诉她，他爱人有个亲戚就住在站上。香雪并没有住，更不打算去找“北京话”的什么亲戚，他的话倒使她感到了委屈，她替凤娇委屈，替台儿沟委屈。她只是一心一意地想：赶快走回去，明天理直气壮地去上学，理直气壮地打开书包，把“它”摆在桌上。车上的人既不了解火车的呼啸曾经怎样叫她像只受惊的小鹿那样不知所措，更不了解山里的女孩子在大山和黑夜面前到底有多大本事。

列车很快就从西山口车站消失了，留给她的又是一片空旷。一阵寒风扑来，吸吮着她单薄的身体。她把滑到肩上的围巾紧裹在头上，缩起身子在铁轨上坐了下来。香雪感受过各种各样的害怕，小时候她怕头发，身上沾着一根头发择不下来，她会急得哭起来；长大了她怕晚上一个人到院子里去，怕毛毛虫，怕被人胳肢（凤娇最爱和她来这一手）。现在她害怕这陌生的西山口，害怕四周黑幽幽的大山，害怕叫人心跳的寂静，当风吹响近处的小树林时，她又害怕小树林发出的窸窸窣窣的声音。三十里，一路走回去，该路过多少大大小小的林子啊！

一轮满月升起来了，照亮了寂静的山谷，灰白的小路，照亮了秋日的败草、粗糙的树干，还有一丛丛荆棘、怪石，还有漫山遍野那树的队伍，还有香雪手中那只闪闪发光的小盒子。

她这才想到把它举起来端详。她想，为什么坐了一路火车，竟没有拿出来好好看看？现在，在皎洁的月光下，她才看清了它是淡绿色的，盒盖上有两朵洁白的马蹄莲。她小心地把它打开，又学着同桌的样子轻轻一拍盒盖，“嗒”的一声，它便合得严严实实。她又打开盒盖，觉得应该立刻装点东西进去。她从兜里摸出一只盛擦脸油的小盒放进去，又合上了盖子。只有这时，她才觉得这铅笔盒真属于她了，真的。她又想到了明天，明天上学时，她多么盼望她们会再三盘问她啊！

她站了起来，忽然感到心里很满意，风也柔和了许多。她发现月亮是这样明净。群山被月光笼罩着，像母亲庄严、神圣的胸脯；那秋风吹干的一树树核桃叶，卷起来像一树树金铃铛，她第一次听清它们在夜晚，在风的怂恿下"嚯啷啷"地唱歌。她不再害怕了，在枕木上跨着大步，一直朝前走去。大山原来是这样的！月亮原来是这样的！核桃树原来是这样的！香雪走着，就像第一次认出养育她成人的山谷。台儿沟呢？不知怎么的，她加快了脚步。她急着见到它，就像从来没见过它那样觉得新奇。台儿沟一定会是"这样的"：那时台儿沟的姑娘不再央求别人，也用不着回答人家的再三盘问。火车上的漂亮小伙子都会求上门来，火车也会停得久一些，也许三分、四分，也许十分、八分。它会向台儿沟打开所有的门窗，要是再碰上今晚这种情况，谁都能从从容容地下车。

今晚台儿沟发生了什么事？对了，火车拉走了香雪。为什么现在她像闹着玩儿似的去回忆呢？四十个鸡蛋也没有了，娘会怎么说呢？爹不是盼望每天都有人家娶媳妇、聘闺女吗？那时他才有干不完的活儿，他才能光着红铜似的脊梁，不分昼夜地打出那些躺柜、碗橱、板箱，挣回香雪的学费。想到这儿，香雪站住了，月光好像也黯淡下来，脚下的枕木变成一片模糊。回去怎么说？她环视群山，群山沉默着；她又朝着近处的杨树林张望，杨树林窸窸窣窣地响着，并不真心告诉她应该怎么做。是哪儿来的流水声？她寻找着，发现离铁轨几米远的地方，有一道浅浅的小溪。她走下铁轨，在小溪旁边蹲了下来。她想起小时候有一回和凤娇在河边洗衣裳，碰见一个换芝麻糖的老头。凤娇劝香雪拿一件旧汗褂换几块糖吃，还教她对娘说，那件衣裳不小心叫河水给冲走了。香雪很想吃芝麻糖，可她到底没换。她还记得，那老头真心实意等了她半天呢。为什么她会想起这件小事？她现在也许应该骗娘吧，因为芝麻糖怎么也不能和铅笔盒的重要性相比。她要告诉娘，这是一个宝盒子，谁用上它，就能一切顺心如意，就能上大学、坐上火车到处跑，就能要什么有什么，就再也不会被人盘问她们每天吃几顿饭了。娘会相信的，因为香雪从来不骗人。

小溪的歌唱高昂起来了，它欢腾着向前奔跑，撞击着水中的石块，不时溅起一朵小小的浪花。香雪也要赶路了，她捧起溪水洗了把脸，又用沾着水的手抿光被风吹乱的头发。水很凉，但她觉得很精神。她告别了小溪，又回到了长长的铁路上。

前边又是什么？是隧道，它愣在那里，就像大山的一只黑眼睛。香雪又站住了，但她没有返回去，她想到怀里的铅笔盒，想到同学们惊羡的目光，那些目光好像就在隧道里闪烁。她弯腰拔下一根枯草，将草茎插在小辫里。娘告诉她，这样可以“避邪”。然后她就朝隧道跑去。确切地说，是冲去。

香雪越走越热了，她解下围巾，把它搭在脖子上。她走出了多少里？不知道。尽管草丛里的“纺织娘”“油葫芦”总在鸣叫着提醒她。台儿沟在哪儿？她向前望去，她看见迎面有一颗颗黑点在铁轨上蠕动。再近一些她才看清，那是人，是迎着她走过来的人群。第一个是凤娇，凤娇身后是台儿沟的姐妹们。

香雪想快点跑过去，但脚为什么变得异常沉重？她站在枕木上，回头望着笔直的铁轨，铁轨在月亮的照耀下泛着清淡的光，它冷静地记载着香雪的路程。她忽然觉得心头一紧，不知怎么的就哭了起来，那是欢乐的泪水、满足的泪水。面对严峻而又温厚的大山，她心中升起一种从未有过的骄傲。她用手背抹净眼泪，拿下插在辫子里的那根草茎，然后举起铅笔盒，迎着对面的人群跑去。

山谷里突然爆发了姑娘们欢乐的呐喊。她们叫着香雪的名字，声音是那样奔放、热烈；她们笑着，笑得是那样不加掩饰、无所顾忌。古老的群山终于被感动得战栗了，它发出洪亮低沉的回音，和她们共同欢呼着。

哦，香雪！香雪！

一九八二年六月

乔厂长上任记

蒋子龙

蒋子龙《乔厂长上任记》为新时期文学中影响最大的作品之一，成为“改革文学”的开山之作，工业题材创作的鼎新之作。小说塑造了具有强烈的历史使命感和责任感的改革家乔光朴的英雄形象，也刻画了改革面临的种种社会阻力，现代性历史诉求的内在动因，揭示了社会进步的宏伟前景，显示了现实主义文学创作的强盛生命力。作品产生了广泛深远的社会反响，主人公的硬汉性格、昂扬向上的精神力量，凸显了一个时代的美学特征。

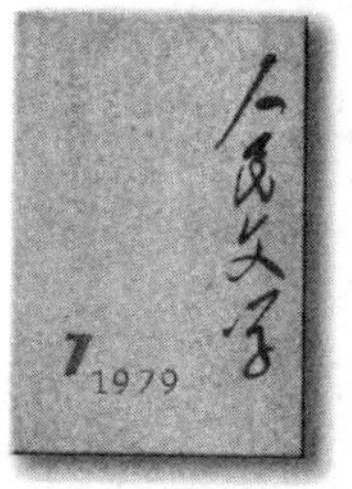

《人民文学》1979 年 7 期

“时间和数字是冷酷无情的，像两条鞭子，悬在我们的背上。

“先讲时间。如果说国家实现现代化的时间是二十三年，那么咱们这个给国家提供机电设备的厂子，自身的现代化必须在八到十年内完成。否则，炊事员和职工一同进食堂，是不能按时开饭的。

“再看数字。日本日立公司电机厂，五千五百人，年产一千二百万千瓦；咱们厂，八千九百人，年产一百二十万千瓦。这说明什么？要求我们干什么？

“前天有个叫高岛的日本人，听我讲咱们厂的年产量，他晃脑袋，说我保密！当时我的脸臊成了猴腚，两只拳头攥出了水。不是要揍人家，而是想揍自己。你们还有脸笑！当时要看见你们笑，我就揍你们。

“其实，时间和数字是有生命、有感情的，只要你掏出心来追求它，它就属于你。”

——摘自厂长乔光朴的发言记录

出　山

党委扩大会一上来就卡了壳，这在机电工业局的会议室里不多见，特别是在局长霍大道主持的会上更不多见。但今天的沉闷似乎不是那种干燥的、令人沮丧的寂静，而是一种大雨前的闷热、雷电前的沉寂。算算吧，“四人帮”倒台两年多了，七八年快过去了，电机厂也已经两年多没完成生产任务了。再一再二不能再三，全局都快要被它拖垮了。必须彻底解决，派硬手去。派谁？机电局闲着的干部不少，但顶戗的不多。愿意上来的人不少，愿意下去，特别是愿意到大难杂乱的大户头厂去的人不多。

会议要讨论的内容两天前已经通知到各委员了，霍大道知道委员们都有准备好的话，只等头一炮打响，后边就会万炮齐鸣。他却丝毫不动声色，他从来不亲自动手去点第一炮，而是让炮手准备好了自己燃响，更不在冷场时赔着笑脸絮絮叨叨地启发诱导。他透彻人肺腑的目光，时而收拢合目沉思，时而又放纵开来，轻轻扫过每一个人的脸。

有一张脸渐渐吸引住霍大道的目光。这是一张有着铁矿石般颜色和猎人般粗犷特征的脸：石岸般突出的眉弓，饿虎般深藏的双睛；颧骨略高的双颊，肌厚肉重的阔脸；这一切简直就是力量的化身。他是机电局电器公司经理乔光朴，正从副局长徐进亭的烟盒里抽出一支香烟在手里摆弄着。自从十多年前在“牛棚”里一咬牙戒了烟，从未开过戒，只是留下一个毛病，每逢开会苦苦思索或心情激动的时候，喜欢找别人要一支烟在手里玩弄，间或放到鼻子上去嗅一嗅。仿佛没有这支烟他的思想就不能集中。他一双火力十足的眼睛不看别人，只盯住手里的香烟，饱满的嘴唇铁闸一般紧闭着，里面坚硬的牙齿却在不断地咬着牙帮骨，左颊上的肌肉鼓起一道道棱子。霍大道极不易觉察地笑了，他不仅估计到第一炮很快就要炸响，而且对今天会议的结果似乎也有了七分把握。

果然，乔光朴手里那支珍贵的“郁金香”牌香烟不知什么时候变成一堆碎烟丝。他伸手又去抓徐进亭的烟盒，徐进亭挡住了他的手：“得啦，光朴，你又不吸，这不是白白糟蹋吗。要不一开会抽烟的人都躲你远远的。”

有几个人嘲弄地笑了。

乔光朴没抬眼皮，用平稳的显然是经过深思熟虑的口吻说：“别人不说我先说，请局党委考虑，让我到重型电机厂去。”

这低沉的声调在有些委员的心里不啻是爆炸了一颗手榴弹。徐副局长更是惊诧地掏出一支香烟主动地丢给乔光朴：“光朴，你是真的，还是开玩笑？”

是啊，他的请求太出人意外了，因为他现在占的位子太好了。“公司经理”——上有局长，下有厂长，能进能退，可攻可守。形势稳定可进到局一级，出了问题可上推下卸，躲在二道门内转发一下原则号令。愿干者可以多劳，不愿干者也可少干，全无凭据；权力不小，责任不大，待遇不低，费心血不多。这是许多老干部梦寐以求而又得不到手的“美缺”。乔光朴放着轻车熟路不走，明知现在基层的经最不好念，为什么偏要下去呢？

乔光朴抬起眼睛，闪电似的扫过全场，最后和霍大道那穿透一切的目光相遇了，倏地这两对目光碰出了心里的火花，一刹那等于交换了千言万语。乔光朴仍是用缓慢平稳的语气说：“我愿立军令状。乔光朴，现年五十六岁，身体基本健康，血压有一点高，但无妨大局。我去后如果电机厂仍不能完成国家计划，我请求撤销我党内外一切职务。到干校和石敢去养鸡喂鸭。”

这家伙，话说得太满、太绝。这无疑是一些眼下最忌讳的语言。当语言中充满了虚妄和垃圾，稍负一点责的干部就喜欢说一些漂亮的多义词，让人从哪个方面都可以解释。什么事情还没有干，就先从四面八方留下退却的路。因此，乔光朴的“军令状”比它本身所包含的内容更叫霍大道高兴。他激动地抬起眼睛，心里想，这位大爷就是给他一座山也能背走，正像俗话说的，他像脚后跟一样可靠，你尽管相信他好了。就问：“你还有什么要求？”

乔光朴：“我要请石敢一块去，他当党委书记，我当厂长。”

会议室里又炸了。徐副局长小声地冲他嘟囔：“我的老天，你刚才扔了个手榴弹，现在又撂原子弹，后边是不是还有中子弹？你成心想炸毁我们的神经？”

乔光朴不回答，腮帮子上的肌肉又鼓起一道道肉棱子，他又在咬牙帮骨。

有人说：“你这是一厢情愿，石敢同意去吗？”

乔光朴：“我已经派车到干校去接他，就是拖也要把他拖来。至于他干不干的问题，我的意见他干也得干，他不干也得干。而且——”他把目光转向霍大道：“只要党委正式做决议，我想他是会服从的。我对别人的安排也有这个意见，可以听取本人的意见和要求，但也不能完全由个人说了算。党对任何一个党员，不管他是哪一个级别的干部，都有指挥调动权。”

他说完看看手表，像事先约好的一样，石敢就在这时候进来了。猛一看，这简直就是一位老农民。但从他走进机电局大楼、走进肃穆的会议室仍然态度安详，就可知这是一位经过阵势，以前常到这个地方来的人。他身材短小，动作迟钝。仿佛他一切锋芒全被这极平常的外貌给遮掩住了。斗争的风浪明显地在他身上留下了涤荡的痕迹。虽然刚交六十岁，但他的脸已被深深的皱纹切破了，像个桃核。看上去要比实际年龄大得多。他对一切热烈的问候和眼光只用点头回答，他脸上的神色既不热情，也不冷淡，倒有些像路人般的木然无情。他像个哑巴，似乎比哑巴更哑。哑巴见了熟人还要呀呀咿咿地叫喊几声，以示亲热；他的双唇闭得铁紧，好像生怕从里边发出声音来。他没有在霍大道指给他的位子上坐下，好像不明白局党委开会为什么把他找来，随时准备离开这儿。

乔光朴站起来：“霍局长，我先和老石谈一谈。”

霍大道点点头。乔光朴抓住石敢的胳膊，半拥半推地向外走。石敢瘦小的身材叫乔光朴魁伟的体架一衬，就像大人拉着一个孩子。他俩来到霍大道的办公室，双双坐在沙发上，乔光朴望着自己的老搭档，心里突然翻起一股难言的痛楚。

一九五八年，乔光朴从苏联学习回国，被派到重型电机厂当厂长，石敢是党委书记。两个人把电机厂搞成了一朵花。石敢是个诙谐多智的鼓动家，他的好多话在“文化大革命”中被人揪住了辫子，在“牛棚”里常对乔光朴说：“舌头是惹祸的根苗，是思想无法藏住的一条尾巴，我早晚要把这块多余的肉咬掉。”他站在批判台上对造反派叫他回答问题更是恼火，不回答吧态度不好，回答吧更加倍激起批判者的愤怒，他曾想要是没有舌头就不会有这样的麻烦了。而和他常常一起挨斗的乔光朴，却想出了对付批斗的“精神转移法”。刚一上台挨斗时，乔光朴也和石敢一样，非常注意听批判者的发言，越听越气，常常汗流浃背，毛发倒竖，一场批判会下来筋骨酥软，累得像摊泥。挨斗的次数一多，时间一长就油了。乔光朴酷爱京剧，往台上一站，别人的批判发言一开始，他心里的锣鼓也开场了，默唱自己喜爱的京剧唱段，以转移自己的注意力。此法果然有效，不管是几个小时的批斗会，不管是“冰棍式”，还是“喷气式”，他全能应付裕如。甚至有时候还能触景生情，一见批判台搭在露天，就来一段“我正在城楼观山景，耳听得城外乱纷纷……”。他得意洋洋地把自己的经验传授给石敢，劝他的伙伴不要老是那么认真，暗憋暗气地老是诅咒本来无罪的舌头。无奈石敢不喜好京剧，乔光朴行之有效的办法对他却无效。六七年秋天一次批判会，台子高高搭在两辆重型翻斗汽车上，散会时石敢一脚踩空，笔直地摔下台，腿脚没伤，舌头果真咬掉了一半。他忍住疼没吭声，血灌满了嘴就咽下去。等到被人发现时已无法再找回那半个舌头。从那天起，两个老伙伴就分开了。石敢成了半哑巴，公共场合从来不说话。治好伤就到机电局干校劳动，局里几次要给他安排工作，他借口是残废人不上来。“四人帮”倒台的消息公布以后，他到市里喝了一通酒，晚上又回干校了，说舍不得那大小“三军”。他在干校管着上百只鸡，几十只鸭，还有一群羊，人称“三军司令”。他表示后半辈子不再离开农村。今天一早，乔光朴派亲近的人借口有重要会议把他叫来了。

乔光朴把自己的打算，立“军令状”的前后过程全部告诉了石敢，充满希望地等着老伙伴给他一个全力支持的回答。

石敢却是长时间的不吭声，探究的、陌生的目光冷冷地盯着乔光朴，使乔光朴很不自在。老朋友对他的疏远和不信任叫他心打寒战。石敢到底说话了，语言低沉而又含混不清。乔光朴费劲地听着：

“你何苦要拉一个垫背的？我不去。”

乔光朴急了：“老石，难道你躲在干校不出山，真的是像别人传说的那样，是由于怕了，是‘怕死的杨五郎上山当了和尚’？”

石敢脸上的肌肉颤抖了一下，但毫不想辩解地点点头，认账了。这使乔光朴急切地从沙发上跳起来替他的朋友否认：“不，不，你不是那种人！你唬别人行，唬不了我。”

“我只有半个舌……舌头，而且剩下的这半个如果牙齿够得着也想把它咬下去。”

“不，你是有两个舌头的人，一个能指挥我，在关键的时候常常能给我别的人所不能给的帮助；另一个舌头又能说服群众服从我。你是我碰到过的最好的党委书记，我要回厂，你不跟我去不行！”

“咳！”石敢眼里闪过一丝痛苦的暗流，“我是个残废人，不会帮你的忙，只会拖你的手脚。”

"石敢，你少来点感伤情调好不好，你对我来说，重要的不是舌头，你有头脑，有经验，有魄力，还有最重要的——你我多年合作的感情。我只要你坐在办公室里动动手指，或到关键时候给我个眼神，提醒我一下，你只管坐阵就行。"

石敢还是摇头："我思想残废了，我已经消耗完了。"

"胡说！"乔光朴见好说不行，真要恼了，"你明明是个大活人，呼出碳气，吸进氧气，还在进行血液循环，怎说是消耗完了？在活人身上难道能发生精力消耗完的事吗？掉个舌头尖思想就算残废啦？"

"我指热情的细胞消耗完了。"

"嗯？"乔光朴一把将石敢从沙发上拉起来，枪口似的双睛瞄准石敢的瞳孔，"你敢再重复一遍你的话吗？当初你咬下舌头吐掉的时候，难道把党性、生命连同对事业的信心和责任感也一块吐掉了？"

石敢躲开了乔光朴的目光，他碰上了一面无情的能照见灵魂的镜子，他看见自已的灵魂变得这样卑微，感到吃惊，甚至不愿意承认。

乔光朴用嘲讽的口吻，像是自言自语地说："这真是一种讽刺，'四化'的目标中央已经确立，道路也打开了，现在就需要有人带着队伍冲上去。瞧瞧我们这些区局级、县团级干部都是什么精神状态吧，有的装聋作哑，甚至被点将点到头上，还推三阻四。我真纳闷，在我们这些级别不算小的干部身上，究竟还有没有普通党员的责任感？我不过像个战士一样，听到首长说有任务就要抢着去完成，这本来是极平常的事，现在却成了出风头的英雄。谁知道呢，也许人家还把我当成了傻瓜哩！"

石敢又一次被刺疼了，他的肩头抖动了一下。乔光朴看见了，诚恳地说："老石，你非跟我去不行，我就是用绳子拖也得把你拖去。"

"咳，大个子……"石敢叹了口气，用了他对乔光朴最亲热的称呼。这声"大个子"叫得乔光朴发冷的心突地又热起来了。石敢立刻又恢复了那种冷漠的神情："我可以答应你，只要你以后不后悔。不过丑话说在前边，咱们订个君子协定，什么时候你讨厌我了，就放我回干校。"

当他们两个回到会议室的时候，委员们也就这个问题形成了决议。霍大道对石敢说："老乔明天到任，你可以晚几天，休息一下，身体哪儿不适到医院检查一下。"

石敢点点头走了。

霍大道对乔光朴说："刚才议论到干部安排问题，你还没有走，就有人盯上了你的位子。"他把目光又转向委员们："你们是不是还有别人写的条子，或是受了人家的托咐？我看今天彻底公开一下，把别人托你们的事都摆到桌面上来，大家一块议一议。"

大家面面相觑，他们都知道霍大道的脾气，他叫你拿到桌面上来，你若不拿，往后在私下是决不能再向他提这些事了。徐进亭先说："电机厂的冀申提出身体不好，希望能到公司里去。"接着别的委员也都说出了曾托咐过自己的人。

霍大道目光像锥子一样，气色森严，语气里带着不想掩饰的愤怒："什么时候我们党的人事安排改为由个人私下活动了呢？什么时候党员的工作岗位分成了'肥缺'、'美缺'和'废缺'、'苦缺'了呢？毛遂自荐自古就有，乔光朴也是毛遂自荐，但和这些人的自荐是完全不同的两种性质。冀申同志在电机厂没搞好，却毫不愧疚地想到公司当经理，我不相信搞不好一个厂的人能搞好一个公司。如果把托你们的人的要求都满足，我们机电局只好安排十五个副局长，下属六个公司，每个公司也只好安排十到十五个正副经理，恐怕还不一定都满意。身体不好在基层干不了到机关就能干好，机关是疗养院？还是说在机关干好干坏没关系？有病不能工作的可以离职养病，名号要挂在组织处，不能占着茅坑不屙屎。宁可虚位待人，不可滥任命误党误国。我欣赏光朴同志立的'军令状'，这个办法要推行，往后像我们这样的领导干部也不能干不干一个样。有功的要升、要赏，有过的要罚、要降！有人在一个单位玩不转了就托人找关系，一走了之。这就助长干部身在曹营心在汉，骑着马找马。难怪工人反映，厂长都不想在一个厂里干一辈子，多则订个三年计划，少则是一年规划，打一枪换一个地方，这怎么能把工厂搞好！"

徐进亭问："冀申原是电机厂一把手，老乔和石敢一去，不把他调出来怎么安排？"

霍大道："当副厂长嘛。干好了可以升，干不好还降，直降到他能够胜任的职位止。当然，这是我个人的意见，大家还可以讨论。"

徐进亭悄悄对乔光朴说："这下你去了以后就更难弄了。"

乔光朴耸耸肩膀没吭声，那眼光分明在说："我根本就没想到电机厂去会有轻松的事。”

上任

一

机电局党委扩大会散后，乔光朴向电器公司副经理做了交接，回到家已是晚上了。屋里有一股呛鼻的潮味，他把门窗全部打开。想沏杯茶，暖瓶是空的，就吞了几口冷开水。坐在书桌前，从一摞书的最底下拿出一本《金属学》，在书页里抽出一张照片。照片是在莫斯科的红场上照的，背景是列宁墓。前面并肩站着两个人，乔光朴穿浅色西装，伟美潇洒，显得很年轻，脸上的神色却有些不安。他旁边那个妩媚秀丽的姑娘则神情快乐，正侧脸用迷人的目光望着乔光朴，甜甜地笑着。仿佛她胸中的幸福盛不下，从嘴边漫了出来。乔光朴凝视着照片，突然闭住眼，低下头，两手用力掐住太阳穴。照片从他手指间滑落到桌面上——

一九五七年，乔光朴在苏联学习的最后一年，到列宁格勒电力工厂担任助理厂长。女留学生童贞正在这个厂搞毕业设计，她很快被乔光朴吸引住了。乔光朴英目锐气，智深勇沉，精通业务，抓起生产来仿佛每个汗毛孔里都是心眼，浑身是胆。他的性格本身就和恐惧、怀疑、阿谀奉承、互相戒备这些东西时常发生冲突。童贞最讨厌的也正是这些玩意，她简直迷上这个比自己大十多岁的男人了。在异国他乡同胞相遇分外亲热，乔光朴像对待小妹妹，甚至是像对待小孩一样关心她，保护她。她需要的却是他的另一种关怀，她嫉妒他渴念妻子时的那种神情。

乔光朴先回国，五八年底童贞才毕业归来。重型电机厂刚建成正需要工程技术人员，她又来到乔光朴的身边。一直在她家长大的外甥郗望北，是电机厂的学徒工，一次很偶然的机会，他发现了小老姨对厂长的特殊感情。这个小伙子性格倔强，有蔫主意，恨上了厂长，认为厂长骗了他老姨。他虽比老姨还小十多岁，却俨然以老姨的保护人的身份处处留心，尽量阻挡童贞和乔光朴单独会面。当时有不少人追求童贞，她一概拒之门外，矢志不嫁。这使郗望北更憎恨乔光朴，他认定乔光朴搞女人也像搞生产一样有办法，害了自己老姨的一生。

七年过去了，“文化大革命”一开始，郗望北成为一派造反组织的头头，专打乔光朴。他只给乔光朴的“走资派”帽子上面又扣上“老流氓”、“道德败坏分子”的帽子，但不细究，不深批，免得伤害自己的老姨。可是他的队员们对这种花花绿绿的事很感兴趣，捕风捉影，编出很多情节，反倒深深地伤害了童贞。在童贞眼里，乔光朴是搞现代化大生产难得的人才，过去一直威信很高，现在却名誉扫地。犯路线错误的人群众批而不恨，犯品质错误的人群众最厌恶。可在那种时候又怎能把真相向群众说清呢？童贞觉得这都是由于自己的缘故，使乔光朴比别的走资派吃了更多的苦头，她给乔光朴写了一封信，想一死了事。细心的郗望北早就留了这个心眼，没让童贞死成。这使乔光朴觉得一下子同时欠下了两个女人的债。

乔光朴的妻子在大学当宣传部长，虽然听到了关于他和童贞的议论，但丝毫也不怀疑自己的丈夫，直到六八年初不清不白地死在“牛棚”里，她从未怀疑过乔光朴的忠诚。乔光朴为此悔恨不已，曾对着妻子的遗像坦白承认，他在童贞大胆的表白面前确实动摇过，心里有时也很喜欢她。他表示从此不再搭理童贞。当最小的一个孩子考上大学离开他以后，他一个人守着几间空房子，过着苦行僧式的生活，似乎是有意折磨自己，向死去的妻子表明他对她和儿女感情的纯洁无瑕和忠贞不渝……

可是，下午在公司里交接完工作，乔光朴神差鬼使给童贞打了个电话，约她今晚到家里来。过后他很为自己的行动吃惊，责问自己：这是什么意思呢？如果自己不再回厂，事情也许永远就这样过去了。现在叫他俩该怎样相处？十年前厂子里的人给他俩的头上泼了那么多脏水啊！他这才突然发现，他认为早被他从心里挖走的童贞，却原来还在他心里占着一个位置。他没有在痛苦的思索里理出头绪，他不想再触摸这些复杂而又微妙的感情的琴弦了。得振作一下，明天回厂还有许多问题要考虑。忽然，觉得有什么东西落到头上，他抬起头，心里猛地一缩——童贞正依着他的膀子站着，泪眼模糊地望着那张照片。滴落到他头上的，无疑就是她的眼泪。他站起身，抓住她的手：“童贞，童贞……”

童贞身子一颤，从乔光朴发烫的大手里抽出自己的手，转过身去，擦干眼角，极力控制住自己。童贞的变化使乔光朴惊呆了。她才四十多岁，头上已有了白发；过去她的一双亮眼燃烧着大胆而热情的光芒，敢于火辣辣地长久地盯着他，现在她的眼神是温润的、绵软的，里面透出来的愁苦多于快乐。乔光朴的心里隐隐发痛。这个在业务上很有才气的女工程师，她本来可以成为国家很缺少的机电设备专家，现在从她身上再也看不见那个充满理想、朝气蓬勃的小姑娘的影子了。使她衰老这么快的原因，难道只是岁月吗？

两人都有点不大自然，乔光朴很想说一句既得体又亲热的话来打破僵局："童贞，你为什么不结婚？"这根本不是他想要说的意思，连声音也不像他自己的。

童贞不满地反问："你说呢？"

乔光朴懊丧地一挥手，他从来不说这样没味道的话。突然把头一摆，走近童贞："我干吗要装假。童贞，我们结婚吧，明天，或者后天，怎么样？"

童贞等这句话等了快二十年了，可今天听到了这句话，却又感到慌乱和突然。她轻轻地说："你事先一点信也不透，为什么这么急？"

乔光朴一经捅破了这层纸，就又恢复了他那热烈而坚定的性格："我们头发都白了，你还说急？我们又不需要什么准备，请几个朋友一吃一喝一宣布就行了。"

童贞脸上泛起一阵幸福的光亮，显得年轻了，喃喃地说："我的心你是知道的，随你决定吧。"

乔光朴又抓起童贞的手，高兴地说："就这样定，明天我先回厂上任，通知亲友，后天结婚。"

童贞一惊："回厂？"

"对，今天上午局党委会决议，石敢和我一块回去，还是老搭档。"

"不，不！"童贞说不清是反对还是害怕。她早盼着乔光朴答应和她结婚，然后调到一个群众不知道她俩情况的新单位去，和所爱的人安度晚年。乔光朴突然提到要回厂，电机厂的人听到他俩结婚的消息会怎样议论？童贞一想到能强奸人的灵魂、把刀尖捅到人心里将人致死的群众舆论，简直浑身打颤。况且郗望北现在是电机厂副厂长，他和乔光朴这一对冤家怎么在一块共事？她忧心忡忡地问："你在公司不是挺好吗，为什么偏要回厂？"

乔光朴兴致勃勃地说："搞好电器公司我并不要怎么费劲，也许正因为我的劲使不出来我才感到不过瘾。我对在公司里领导大集体、小集体企业，组织中小型厂的生产兴趣不大，我不喜欢搞针头线脑。"

"怎么，你还是带着大干一番的计划，回厂收拾烂摊子吗？"

"不错，我对电机厂是有感情的。像电机厂这样的企业如果老是一副烂摊子，国家的现代化将成为画饼。我们搞的这一行是现代化的发动机，而大型骨干企业又是国家的台柱子。搞好了有功，不比打江山的功小；搞不好有罪，也不比叛党卖国的罪小。过去打仗也好，现在搞工业也好，我都不喜欢站在旁边打边鼓，而喜欢当主角，不管我将演的是喜剧还是悲剧。趁现在精力还达得到，赶紧抓挠几年。我想叫自己的一辈子有始有终，虎头豹尾更好，至少要虎头虎尾。我们这一拨的人虎头蛇尾的太多了。"

是惊？是喜？是不安？童贞感慨万端。以前她爱上乔光朴，正是爱他对事业的热爱，以及在工作上表现出来的才能和男子汉特有的雄伟顽强的性格。现在的乔光朴还是以前她爱的那个人，但她却希望他离开他眷恋的事业。难道她爱不上战场的英雄，离开骏马的骑手？她像是自言自语地说："没见过五十多岁的人还这么雄心勃勃。"

"雄心是不取决于年岁的，正像青春不一定就属于黑发人，也不见得会随着白发而消失。"乔光朴从童贞的眼睛里看出她衰老的不光是外表，还有她那棵正在壮年的心苗，她也害上了正在流行的政治衰老症。看来精神上的胆怯给人造成的不幸，比估计到的还要多。这使他突然意识到自己的责任。他几乎用小伙子般的热情抱住童贞的双肩，热烈地说："喂，工程师同志，你以前在我耳边说个没完的那些计划，什么先搞六十万千瓦的，再搞一百万的、一百五十万的，制造国家第一台百万千瓦原子能发电站的设备，我们一定要揽过来。你都忘了？"

童贞心房里那颗工程师的心热起来。

乔光朴继续说："我们必须摸准世界上最先进国家机电工业发展的脉搏。在五十年代、六十年代，我们是面对世界工业的整个棋盘来走我们电机厂这颗棋子的，那时各种资料全能看得到，心里有底，知道怎样才能挤进世界先进行列。现在我心里没有数，你要帮助我。结婚后每天晚上教我一个小时的英语，怎么样？"

她勇敢地、深情地迎着他的目光点点头。在他身边她觉得可靠，安全，连自己似乎也变得坚强而充满了信心。她笑着说："真奇怪，那么多磨难，还没有把你的锐气磨掉。"

他哈哈一笑："本性难移。对于精神萎缩症或者叫政治衰老症也和生其他的病一个道理，体壮人欺病，体弱病欺人。这几年在公司里我可养胖了，精力贮存得太多了。"他狡黠地望望童贞，正利用自己特殊的地位，不放过能够给这个娇小的女人打气的机会。他说："至于说到磨难，这是我们的福气，我们恰好生活在两个时代交替的时候。历史有它的阶段，人活一辈子也有他的阶段，在人生一些重大关头，要敢于充分大胆地正视自己的心愿。俗话说，石头是刀的朋友，障碍是意志的朋友。"

他要她陪他一块到厂里去转转，童贞不大愿意。他用开玩笑的口吻说："你以前骂过我什么话？噢，对，你说我在感情上是粗线条的。现在就让我这个粗线条的人来谈谈爱情。爱情，是一种勇敢而强烈的感情。你以前既是那么大胆地追求过它，当它来了的时候就用不着怕它，更用不着隐瞒它以欺骗自己、苦恼自己。我真怕你像在政治上一样也来个爱情衰老病。趁着我还没有上任，我们还有时间谈谈情说说爱。"

她脸红了："胡说，爱情的绿苗在一个女人的心里是永远不会衰老的。"做姑娘时的勇气又回到她的身上，她热烈地吻了他一下。

在去厂的路上，她却说服他先不能结婚。她借口说这件事对于她是终生第一次也是最后一次，而且她为这一天比别的女人付出了更多的代价，她要好好准备一下。乔光朴同意了。当然，童贞推延婚期的真正原因根本不是这些。

二

两个人走进电机厂，先拐进了离厂门口最近的八车间。乔光朴只想在上任前冷眼看看工厂的情况。走进了熟悉的车间，他浑身的每一个筋骨眼仿佛都往外涨劲，甚至有一股想亲手摸摸摇把的冲动。他首先想起了"十二把尖刀"。十年前他当厂长时，每一道工序都培养出一两个尖子，全厂共有十二个人，一开表彰先进的大会，这"十二把尖刀"都坐在头一排的金交椅上。童贞告诉他说："你的尖刀们都离开了生产第一线，什么轻省干什么去了。有的看仓库、守大门，有的当检验员，还有一个当了车间头头。有四把刀在批判大会上不是当面控诉你用物质刺激腐蚀他们，你真的一点不记仇？"

乔光朴一挥手："咳，记仇是弱者的表现。当时批判我的时候，全厂人都举过拳头，呼过口号，要记仇我还回厂干什么？如果那十二个人不行了，我必须另磨尖刀。技术上不出尖子不行，产品不搞出名牌货不行！”

乔光朴一边听童贞介绍情况，一边安然自在地在机床的森林里穿行。他在车间里这样蹓跶，用行家的眼光打量着这些心爱的机器设备，如果再看到生产状况良好，那对他就是最好的享受了。比任何一对情人在河边公园散步所感到的滋味还要甘美。

外行看热闹，内行看门道。乔光朴在一个青年工人的机床前停住了。那小伙子干活不管不顾，把加工好的叶片随便往地上一丢，嘴里还哼着一支流行的外国歌曲。乔光朴拾起他加工好的零件检查着，大部分都有磕碰。他盯住小伙子，压住火气说：“别唱了。”

工人不认识他，流气地朝童贞挤挤眼，声音更大了：“哎呀妈妈，请你不要对我生气，年轻人就是这样没出息。”

“别唱了！”乔光朴带命令的口吻，还有那威严的目光使小伙子一惊，猛然停住了歌声。

“你是车工还是捡破烂的？你学过操作规程吗？懂得什么叫磕碰吗？”

小伙子显然也不是省油的灯，可是被乔光朴行家的口吻，凛然的气派给镇住了。乔光朴找童贞要了一条白手绢，在机床上一抹，手绢立刻成黑的了。乔光朴枪口似的目光直瞄着小伙子的脑门子：“你就是这样保养设备的？把这个手绢挂在你的床子上，直到下一次我来检查用白毛巾从你床子上擦不下尘土来，再把这条手绢换成白毛巾。”这时已经有一大群车工不知出了什么事围过来看热闹，乔光朴对大伙说：“明天我叫设备科给每台机床上挂一条白毛巾，以后检查你们的床子保养情况如何就用白毛巾说话。”

人群里有老工人，认出了乔光朴，悄悄吐吐舌头。那个小伙子脸涨得通红，窘得一句话也没有了，慌乱地把那个黑乎乎的手绢挂在一个不常用的闸把上。这又引起了乔光朴的注意，他看到那个闸把上盖满油灰，似乎从来没有被碰过。他问那个小伙子：“这个闸把是干什么用的？”

“不知道。”

“这上边不是有说明。”

“这是外文，看不懂。”

“你在这个床子上干了几年啦？”

“六年。”

“这么说，六年你没动过这个闸把？”

小伙子点点头。乔光朴左颊上的肌肉又鼓起一道道棱子，他问别的车工：“你们谁能把这个闸把的用处告诉他？”

车工们不知是真的不知道，还是怕说出来使自己的同伴更难堪，因此都没吱声。

乔光朴对童贞说：“工程师，请你告诉他吧。”

童贞也想缓和一下气氛，走过来给那个小伙子讲解英文说明，告诉他那个闸把是给机床打油的，每天操作前都要捺几下。

乔光朴又问：“你叫什么名字？”

“杜兵。”

“杜兵，干活哼小调，六年不给机床膏油，还是鬼怪式操作法的发明者。嗯，我不会忘记你的大名的。”乔光朴的口气由挖苦突然改为严厉的命令，“告诉你们车间主任，这台床子停止使用，立即进行检修保养。我是新来的厂长。”

他俩一转身，听到背后有人小声议论：“小杜，你今个算碰上辣的了，他就是咱厂过去的老厂长。”

“真是行家一伸手便知有没有！”

乔光朴直到走出八车间，还愤愤地对童贞说：“有这些大爷，就是把世界上最尖端的设备买进来也不行！”

童贞说：“你以为杜兵是厂里最坏的工人吗？”

“嗯？”乔光朴看看她，“可气的是他这样干了六年竟没有人发现。可见咱们的管理到了什么水平，一粗二松三马虎。你这位主任工程师也算脸上有光啦。”

“什么？”童贞不满地说，“你们当厂长的不抓管理，倒埋怨下边。我是不在其位不谋其政。”

“在其位就谋其政吗？不见得。”

他俩一边说着话，走进七车间，一台从德国进口的二百六镗床正试车，拨挡试车的是个很年轻的德国人。外国人到中国来还加夜班，这引起了乔光朴的注意。童贞告诉他，镗床的电器部分在安装中出了问题，西德的西门子电子公司派他来解决。这个小伙子叫台尔，只有二十三岁，第一次到东方来，就先飞到日本玩了几天。结果来到我们厂时晚了七天，怕我们向公司里告发他，就特别卖劲。他临来时向公司讲七到十天解决我们的问题，现在还不到三天就处理完了，只等试车了。他的特点就是专、精。下班会玩，玩起来胆子大得很；上班会干，真能干；工作态度也很好。

“二十三岁就派到国外独当一面。”乔光朴看了一会台尔工作，叫童贞把七车间值班主任找了来，不容对方寒暄，就直截了当布置任务：“把你们车间三十岁以下的青年工人都招呼到这儿来，看看这个台尔是怎么工作的。也叫台尔讲讲他的身世，听听他二十三岁怎么就把技术学得这么精。在他临走之前，我还准备让他给全厂青年工人讲一次。”

值班主任笑笑，没有询问乔光朴以什么身份下这样的指示，就转身去执行。

乔光朴觉得身后有人窃窃私语，他转过身去，原来是八车间的工人听说刚才批评杜兵的就是老厂长，都追出来想瞧瞧他。乔光朴走过去对他们说：“我有什么好值得看的，你们去看看那个二十三岁的西德电子专家，看看他是怎么干活的。”他叫一个面孔比较熟的人回八车间把青年都叫来，特别不要忘了那个鬼怪式——杜兵。

乔光朴布置完，见一个老工人拉他的衣袖，把他拉到一个清静的地方，呜噜呜噜地对他说：“你想拿外国人做你的尖刀？”

天呐，这是石敢。他不知从哪儿搞来一身工作服，还戴顶旧蓝布工作帽，简直就是个极普通的老工人。乔光朴又惊又喜，石敢还是过去的石敢，别看他一开始不答应，一旦答应下来就会全力以赴。这不也是不等上任就憋不住先跑到厂里来了。

石敢的脸色是阴沉的，他心里正后悔。他的确是在厂子里转了一圈，而且凭他的半条舌头，用最节省的语言，和几个不认识他的人谈了话。人家还以为他正害着严重的牙疼病，他却摸到了乔光朴所不能摸到的情况。电机厂工人思想混乱，很大一部分人失去了过去崇拜的偶像，一下子连信仰也失去了，连民族自尊心、社会主义的自豪感都没有了，还有什么比群众在思想上一片散沙更可怕的呢？这些年，工人受了欺骗、愚弄和呵斥，从肉体到灵魂都退化了。而且电机厂的干部几乎是三套班子，十年前的一批，“文化大革命”起来的一批，冀申到厂后又搞了一套自己的班子。老人心里有气，新人肚里也不平静，石敢担心这种冲突会成为党内新的斗争的震心。等着他和乔光朴的岂止是个烂摊子，还是一个政治斗争的漩涡。往后又得在一夕数惊的局面中过日子了。

石敢对自己很恼火，眼花缭乱的政治战教会了他许多东西，他很少在人前显得激动和失去控制。他对哗众取宠和慷慨激昂之类甚为反感。他曾给自己的感情涂上了一层油漆，自信能抗住一切刺激。为什么上午乔光朴一番真挚的表白就打动了自己的感情呢？岂不知陪他回厂既害自己又害他，乔光朴永远不是个政治家。这不，还没上任就先干上了！他本不想和乔光朴再说什么话，可是看见童贞站在乔光朴身边，心里一震，禁不住想提醒他的朋友。他小声说："你们两个至少半年内不许结婚。"

"为什么？"乔光朴不明白石敢为什么先提出这个问题。

石敢简单地告诉他，关于他们回厂的消息已经在电机厂传遍了，而且有人说乔光朴回厂的目的就是为了和童贞结婚。乔光朴暴躁地说："那好，他们越这样说，我越这样干。明天晚上在大礼堂举行婚礼，你当我们的证婚人。"

石敢扭头就走，乔光朴拉住他。他说："你叫我提醒你，我提醒你又不听。"

乔光朴咬着牙帮骨半天才说："好吧，这毕竟是私事，我可以让步。你说，上午局党委刚开完会，为什么下午厂里就知道了？"

"这有什么奇怪，小道快于大道，文件证实谣传。现在厂里正开着紧急党委会，我的这根可恶的政治神经提醒我，这个会不和我们回厂无关。"石敢说完又有点后悔，他不该把猜测告诉乔光朴。感情真是坑害人的东西，石敢发觉他跟着乔大个子越陷越深了。

乔光朴心里一激冷，拉着石敢，又招呼了一声童贞，三个人走出七车间，来到办公楼前。一楼的会议室里灯光通明，门窗大开，一团团烟雾从窗口飘出来。有人大声发言，好像是在讨论明天电机厂就要开展一场大会战。这可叫乔光朴着急了，他叫石敢和童贞等一会，自己跑到门口传达室给霍大道打了个电话。回来后拉着石敢和童贞走进了会议室。

三

电机厂的头头们很感意外，冀申尖锐的目光盯住童贞，童贞赶紧扭开头，真想退出去。冀申佯装什么也不知道似的说："什么风把你们二位吹来了？"

乔光朴大声说："到厂子来看看，听说你们正开会研究生产，就进来想听听。"

"好，太好了。"冀申瘦骨嶙峋的面孔富于感情，却又像一张复杂的地形图那样变化万端，令人很难琢磨透。他向两个不速之客解释："今天的党委会讨论两项内容，一项是根据群众一再要求，副厂长郗望北同志从明天起停职清理。第二项是研究明天的大会战。这一段时间我抓运动多了点，生产有点顾不过来，但是我们党委的同志有信心，会战一打响被动局面就会扭转。大家还可以再谈具体一点。老乔、老石是电机厂的老领导，一定会帮着我们出些好主意。"

冀申风度老练，从容不迫，他就是要叫乔光朴、石敢看看他主持党委会的水平。下午，当他在电话里听到局党委会决议的时候，猛然醒悟当初他主动要到机电局来是失算了。

这个人确实像他常跟群众表白的那样，受"四人帮"迫害十年之久，但十年间他并没有在市委干校劳动，而是当副校长。早在干校作为新生事物刚筹建的时候，冀申作为市"文革"接待站的联络员就看出了台风的中心是平静的。别看干校里集中了各种不吃香的老干部，反而是最安全的，也是最有发展的，在干校是可以卧薪尝胆的。他利用自己副校长的地位，和许多身份重要的人拉上了关系。这些市委的重要干部以前也许是很难接近的，现在却变成了他的学员，他只要在吃住上、劳动上、请销假上稍微多给点方便，老头子们就很感激他了。加上他很善于处理人事关系，博得了很多人的好感。现在这些人大都已官复原职，因而他也就四面八方都有关系，在全市是个有特殊神通的人了。

两年前，冀申又看准了机电局在国家现代化中所占的重要地位。他一直是搞组织的，缺乏搞工业的经验，就要求先到电机厂干两年。一方面摸点经验，另外"大厂厂长"这块牌子在国家工作重点转移到经济建设上来以后一定是非常用得着的。而后再到公司、到局，到局里就有出国的机会，一出国那天地就宽了。这两年在电机厂，他也不是不卖力气。但他在政治上太精通、太敏感了，反而妨害了行动。他每天翻着报刊、文件提口号，搞中心，开展运动，领导生产。并且有一种特殊的猜谜的酷好，能从报刊文件的字里行间念出另外的意思。他对中央文件又信又不全信，再根据谣言、猜测、小道消息和自己的丰富想象，审时度势，决定自己的工作态度。这必然在行动上迟缓，遇到棘手的问题就采取虚伪的态度。诡谲多诈，处理一切事情都把个人的安全、自己的利益放在第一位。工厂是很实际的，矛盾都很具体，他怎么能抓出成效？在别的单位也许还能对付一气，在机电局，在霍大道眼皮底下却混不过去了。

但是，他相信生活不是凭命运，也不是赶机会，而是需要智慧和斗争的无情逻辑！因此他要采取大会战孤注一掷。大会战一搞起来热热闹闹，总会见点效果，生产一回升，他借台阶就可以离开电机厂。同时在他交印之前把郗望北拿下去，在郗望北和乔光朴这一对老冤家、新仇人之间埋下一根引信，将来他不愁没有戏看。如果乔光朴也没有把电机厂搞好，就证明冀申并不是没有本事。然而，他摆的阵势，石敢从政治上嗅出来了，乔光朴用企业家的眼光从管理的角度也看出了问题。

电机厂的头头们心里都在猜测乔光朴和石敢深夜进厂的来意，没有人再关心本来就不太感兴趣的大会战了。冀申见势不妙，想赶紧结束会议，造成既定事实。他清清嗓子，想拍板定案。局长霍大道又一步走了进来。会场上又是一阵惊奇的唏嘘声。

霍大道没有客套话，简单地问了几句党委会所讨论的内容，就单刀直入地宣布了局党委的决议。最后还补充了一项任命："鉴于你们厂林总工程师长期病休不能上班，任命童贞同志为电机厂副总工程师。同时提请局党委批准，童贞同志为电机厂党委常委。"

童贞完全没有想到对她的这项任命，心里很不安。她不明白乔光朴为什么一点信也没透。

冀申不管多么善于应付，这个打击也来得太快了。霍大道简直是霹雳闪电，连对手考虑退却的时间都不给。他极力克制着，并且在脸上堆着笑说："服从局党委的决定，乔、石二位同志是工业战线上的大将，这回真是百闻不如一见。好了，明天我向二位交接工作，对今天大家讨论的两项决定，你二位有什么意见？"

石敢不仅不说话，连眼也眯了起来，因为眼睛也是泄露思想上机密的窗口。

乔光朴却不客气地说："关于郗望北同志停职清理，我不了解情况。"他不禁扫了一眼坐在屋角上的郗望北，意外地碰上了对方挑战的目光。他不容自已分心，赶紧说完他认为必须表态的问题："至于要搞大会战，老冀，听说你有冠心病，你能不能用短跑的速度从办公大楼的一楼跑到七楼，上下跑五个来回？"

冀申不知他是什么意思，漠然一笑没有作答。

乔光朴接着说："我们厂就像一个患高血压冠心病的病人，搞那种跳楼梯式的大会战是会送命的。我不是反对真正必要的大会战。而我们厂现在根本不具备搞大会战的条件，在技术上、管理上、物质上、思想上都没有做好准备，盲目搞会战，只好拼设备，拼材料，拼人力，最后拼出一堆不合格的产品。完不成任务，靠月月搞会战突击，从来就不是搞工业的办法。"

他的话引起了委员们的共鸣，他们也正在猜谜，不明白冀申明知要来新厂长，为什么反而突然热心地要搞大会战。可是冀申嘴边挂着冷笑，正冲着他点火抽烟，似乎有话要说。

本来只想表个态就算的乔光朴，见冀申的神色，把话锋一转，尖锐地说："这几年，我没有看过真正的好戏，不知道我们国家在文艺界是不是出了伟大的导演；但在工业界，我知道是出现了一批政治导演。哪一个单位都有这样的导演，一有运动，工作一碰到难题，就召集群众大会，做报告，来一阵动员，然后游行，呼口号，搞声讨，搞突击，一会这，一会那，把工厂当舞台，把工人当演员，任意调度。这些同志充其量不过是个吃党饭的平庸的政工干部，而不是真正热心搞社会主义现代化的企业家。用这种导演的办法抓生产最容易，最省力，但遗害无穷。这样的导演，我们一个星期，甚至一个早上就可以培养出几十个，要培养一个真正的厂长、车间主任、工段长却要好几年时间。靠大轰大嗡搞一通政治动员，靠热热闹闹搞几场大会战，是搞不好现代化的。我们搞政治运动有很多专家，口号具体，计划详尽，措施有力。但搞经济建设、管理工厂却只会笼统布置，拿不出具体有效的办法……"

乔光朴正说在兴头上，突然感到旁边似有一道弧光在他脸上一烁一闪，他稍一偏头，猛然醒悟了，这是石敢提醒他住嘴的目光。他赶紧止住话头，改口说："话扯远了，就此打住。最后顺便告诉大伙一声，我和童贞已经结婚了，两个多小时以前刚举行完婚礼，老石是我们的证婚人。因为都是老头子、老婆子了，也没有惊动大伙，喜酒后补。"

今天电机厂这个党委会可真是又"惊"又"喜"，惊和喜又全在意料之外，还没宣布散会，委员们就不住地向乔光朴和童贞开玩笑。

童贞、石敢和郗望北这三个不同身份的人，却都被乔光朴这最后几句话气炸了。童贞气呼呼第一个走出会议室，对乔光朴连看都不看一眼，照直奔厂大门口。

唯有霍大道，似乎早料到了乔光朴会有这一手，并且看出了童贞脸色的变化，趁着刚散会的乱劲，捅捅乔光朴，示意他去追童贞。乔光朴一出门，霍大道笑着向大家摆摆手，拦住了要出门去逗新娘的人，大声说："老乔要滑头，喜酒没有后补的道理，我们今天晚上就去喝两杯怎么样？……"

乔光朴追上来拉住童贞。童贞气得浑身打颤，声音都变了："你都胡说些什么？你知道明天厂里的人会说我们什么闲话？"

乔光朴说："我要的正是这个效果。就是要造成既定事实，一下子把脸皮撕破，你可以免除后顾之忧，泼下身子抓工作。不然，你老是嘀嘀咕咕，怕人说这，怕人说那。跟我在一块走，人家看你一眼，你也会多心，你越疑神疑鬼，鬼越缠你，闲话就永远没个完，我们俩老是谣言家们的新闻人物。一个是厂长，一个是总工程师，弄成这种关系还怎么相互合作？现在光明正大地告诉大伙，我们就是夫妻。如果有谁愿意说闲话，叫他们说上三个月，往后连他们自己也觉得没味了。这是我在会上临时决定的，没法跟你商量。"

灯光映照着童贞晶亮的眼睛，在她眼睛的深处似乎正有一道火光在缓缓燃烧。她已经没有多大气了。不管是作为副总工程师的童贞，还是作为女人的童贞，今天都是她生命沸腾的时刻，是她产生力量的时刻。

刚才还是怒气冲冲的石敢也跟着霍大道追上来了，他抢先一步握住童贞的手，冲着她点点头。似乎是以证婚人的身份祝愿她幸福。

童贞被感动了。

霍大道身后跟着两个电机厂党委的女委员。他对她们说："你们二位陪新娘到她娘家，收拾一下东西，换换衣服，然后送她到自己的新家。我们在新郎家里等你们，一起送他们去登记。"

女委员问："你们还要闹洞房？"

霍大道说："也可能要闹一闹，反正喜糖少不了要吃几块的。"

大家笑了。

乔光朴和童贞感激地望着霍局长，也情不自禁地笑了。

主角

一

你设想吧，当舞台的大幕拉开，紧锣密鼓，音乐骤起，主角威风凛凛地走出台来，却一声不吭，既不说，也不唱，剧场里会是一种什么局面呢？

现在重型电机厂就是这种状况。乔光朴上任半个月了，什么令也没下，什么事也没干，既没召开各种应该召开的会议，也没有认真在办公室坐一坐。这是怎么回事？他以前当厂长可不是这种作风，乔光朴也不是这种脾气。

他整天在下边转，你要找他找不到；你不找他，他也许突然在你眼前冒了出来。按照生产流程一道工序一道工序地摸，正着摸完，倒着摸。谁也猜不透他的心气。更奇怪的是他对厂长的领导权完全放弃了，几十个职能科室完全放任自流，对各车间的领导也不管不问。谁爱怎么干就怎么干，电机厂简直成了没头的苍蝇，生产直线跌下来。

机电局调度处的人戗不住劲了，几次三番催促霍大道赶紧到电机厂去坐镇。谁知霍大道无动于衷，催急了，他反而批评说："你们咋呼什么，老虎往后坐屁股，是为了向前猛扑。连这个道理都不懂？"

本来被乔光朴留在上边坐镇的石敢，终于也坐不住了。他把乔光朴找来，问："怎么样？有眉目没有？"

"有了！"乔光朴胸有成竹地说，"咱们厂像个得了多种疾病的病人，你下这味药，对这一种病有利，对那一种病就有害。不抓准了病情，真不敢动大手术。"

石敢警惕地看看乔光朴，从他的神色上看出来这家伙的确是下了决心啦。石敢对电机厂的现状很担心，可是对乔光朴下狠心给电机厂做大手术，也不放心。

乔光朴却颇有点得意地说："我这半个月撂挑子下去，还有一个很重要的收获：咱们厂的干部队伍和工人队伍并不像你估计的那样。忧国忧民之士不少，有人找到我提建议，有人还跟我吵架，说我辜负了他们的希望。乱世出英雄，不这么乱一下，真摸不出头绪，也分不出好坏人。我已经选好了几个人。"说着，眯起了双眼，他仿佛已经看见电机厂明天就要大翻个儿。

石敢突然问起了一个和工厂完全不相干的问题："今天是你的生日？"

"生日？什么生日？"乔光朴脑子一时没转过来，他翻翻办公桌上的台历，忽然记起来了，"对，今天是我的生日。你怎么记得？"

"有人向我打听。你是不是要请客收礼。"

"扯淡。你要去当然会管你酒喝。"

石敢摇摇头。

乔光朴回到家，童贞已经把饭做好，酒瓶、酒杯也在桌子上都摆好了。女人毕竟是女人，虽然刚结婚不久，童贞却记住了乔光朴的生日。乔光朴很高兴，坐下就要吃，童贞笑着拦住了他的筷子："我通知了望北，等他来了咱们就吃。"

"你没通知别人吧？"

"没有。"童贞是想借这个机会使乔光朴和郗望北坐在一块，和缓两人之间的关系。

乔光朴理解童贞的苦心，但对这做法大不以为然，他认为在酒席筵上建立不了真正的信任和友谊。他心里也根本没有把对方整过自己的事看得太重，倒是觉得，郗望北对过去那些事的记忆比他更深刻。

郗望北还没有来，却来了几个厂里的老中层干部。乔光朴和童贞一面往屋里让客，一面感到很意外。这几个人都是十几年前在科室、车间当头头的，现在有的还是，有的已经不是了。

他们一进门就嘻笑着说："老厂长，给你拜寿来了。"

乔光朴说："别搞这一套，你们想喝酒我有，什么拜寿不拜寿。这是谁告诉你们的？"

其中一个秃头顶的人，过去是行政科长，弦外有音地说："老厂长，别看你把我们忘了，我们可没忘了你。"

"谁说我把你们忘了？"

"还说没忘，从你回厂那一天起我们就盼着，盼了半个月啦，什么也没盼到。你看锅炉厂的刘厂长，回厂的当天晚上，就把老中层干部们全请到楼上，又吃又喝，不在喝多少酒、吃多少饭，而是出出心里的这口闷气。第二天全部恢复原职。这厂长才叫真够意思，也算对得起老部下。"

乔光朴心里烦了，但这是在自己家里，他尽力克制着。反问："'四人帮'打倒都两年多了，你们的气还没出来？"

他们说："'四人帮'倒了，还有'帮四人'呢。说停职，还没停一个月又要复职……"

不早不晚就在这时候郗望北进来了，那几个人的话头立刻打住了。郗望北听到了他们说的话，但满不在乎地和乔光朴点点头，就在那帮人的对面坐下了。这哪是来拜寿，一场辩论的架势算拉开了。童贞急忙找了一个话题，把郗望北拉到另一间屋里去。

那几个人互相使使眼色也站了起来，还是那个秃顶行政科长说："看来这满桌酒菜并不是为我们预备的，要不'火箭干部'解脱那么快，原来已经和老厂长和解了。还是多少沾点亲戚好啊！"

他们说完就要告辞。童贞怕把关系搞僵，一定留他们吃饭。乔光朴一肚子火气，并不挽留，反而冷冷地说："你们跑这一趟的目的还没有达到，就这么两手空空地回去了？"

"表示了我们的心意，目的已经达到了。"那几个人心里感到不安，秃顶人好像是他们的打头人，赶紧替那几个人解释。

"老王，你们不是想官复原职，或者最好再升一两级吗？"乔光朴盯着秃顶人，尖锐地说，"别着急，咱们厂干部不是太多，而是太少，我是指真正精明能干的干部，真正能把一个工段、一个车间搞好，能把咱们厂搞好的干部。从明天起全厂开始考核，你们既然来了，我就把一些题目向你们透一透。你们都是老同志了，也应该懂得这些，比如：什么是均衡生产？什么是有节奏的生产？为什么要搞标准化、系列化、通用化？现代化的工厂应该怎么布置？你那个车间应该怎么布置？有什么新工艺、新技术？……"

那几个人真有点蒙了，有些东西他们甚至连听都没有听见过。更叫他们惊奇的是乔光朴不仅要考核工人，对干部还要进行考核。有人小声嘟囔说："这办法可够新鲜的。"

"这有什么新鲜的，不管工人还是干部，往后光靠混饭吃不行！"乔光朴说，"告诉你们，我也一肚子气，甚至比你们的气还大，厂子弄成这副样子能不气！但气要用在这上面。"

他说完摆摆手，送走那几个人，回到桌前坐下来，陪郗望北喝酒。喝的是闷酒，吃的是哑菜，谁的心里都不痛快。童贞干着急，也只能说几句不咸不淡的家常话。一直到酒喝完，童贞给他们盛饭的时候，乔光朴才问郗望北："让你停职并不是现在这一届党委决定的，为什么老石找你谈，宣布解脱，赶快工作，你还不干？”

郗望北说：“我要求党委向全厂职工说清楚，根据什么让我停职清理？现在不是都调查完了吗，我一没搞过打砸抢，二和‘四人帮’没有任何个人联系，凭什么整我？就根据我曾经当过造反派的头头？就根据我曾批判过走资派？就因为我是个所谓的新干部？就凭一些人编笆造模的议论？”

乔光朴看到郗望北挥动着筷子如此激动，嘴角闪过一丝冷笑。心想：“你现在也知道这种滋味了，当初你不也是根据编笆造模的议论来整别人。”

郗望北看出了乔光朴的心思，转口说：“乔厂长，我要求下车间劳动。”

“嗯？”乔光朴感到意外，他认为新干部这时候都不愿意下去，怕被别人说成是由于和“四人帮”有牵连而倒台了。郗望北倒有勇气自己要求下去，不管是真是假，先试试他。就说：“你有这种气魄就好，我同意。本来，作为领导和这领导的名义、权力，都不是一张任命通知书所能给予的，而是要靠自己的智慧、经验、才能和胆识到工作中去赢得。世界上有许多飞得高的东西，有的是凭自己的翅膀飞上去的，有的是被一阵风带上去的。你往后不要再指望这种风了。”

郗望北冷冷一笑：“我不知道带我上来的是什么风，我只知道我若会投机的话，就不会有今天的被停职。我参加工作二十年，从学徒工当到生产组长，管过一个车间的生产，三十几岁当副厂长，一下子就成了‘火箭干部’。其实火箭这个东西并不坏，要把卫星和飞船送上宇宙空间就得靠火箭一截顶替一截地燃烧。搞现代化也似乎是少不了火箭的。岂不知连外国的总统有不少也是一步登天的‘火箭干部’。我现在宁愿坐火箭再下去，我不像有些人，占了个位子就想一直占到死，别人一旦顶替了他就认为别人爬得太快了，大逆不道了。官瘾大小不取决于年龄。事实是当过官的比没当过官的权力欲和官瘾也许更大些。”

这样谈话太尖锐了，简直就是吃饭前那场谈话的继续。老的埋怨乔光朴袒护新的，新的又把乔光朴当老的来攻。童贞生怕乔光朴的脾气炸了，一个劲地劝菜，想冲淡他们间的紧张气氛。但是乔光朴只是仔细玩味郗望北的话，并没有发火。

郗望北言犹未尽。他知道乔光朴的脾气是吃软不吃硬，但你要真是个松软货，永远也不会得到他的尊敬，他顶多是可怜你。只有硬汉子才能赢得乔光朴的信任，他想以硬碰硬碰到底，接着说：“中国到什么时候才不搞形而上学？‘文化大革命’把老干部一律打倒，现在一边大谈这种怀疑一切的教训，一边又想把新干部全部一勺烩了。当然，新干部中有‘四人帮’分子，那能占多大比例？大多数还不是紧跟党的中心工作，这个运动跟得紧，下个运动就成了牺牲品。照这样看来还是滑头好，什么事不干最安全。运动一来，班组长以上干部都受审批，工厂、车间、班组都搞一朝天子一朝臣，把精力都用在整人上，搞起工作来相互掣肘。长此以往，现代化的口号喊得再响，中央再着急，也是白搭。”

“得了，理论家，我们国家倒霉就倒在批判家多、空谈家多，而实干家和无名英雄又太少。随便什么场合也少不了夸夸其谈的评论家。”乔光朴嘴上这么说，但郗望北表现出来的这股情绪却引起了他的注意。他原以为老干部心里有些气是理所当然的，原来新干部肚里也有气。这两股气要是对干起来那就了不得。这引起了乔光朴的警惕。

二

第二天，乔光朴开始动手了。

他首先把九千多名职工一下子推上了大考核、大评议的比赛场。通过考核评议，不管是干部还是工人，在业务上稀松二五眼的，出工不出力、出力不出汗的，占着茅坑不屙屎的，溜奸滑蹭的，全成了编余人员。留下的都一个萝卜顶一个坑，兵是精兵，将是强将。这样，整顿一个车间就上来一个车间，电机厂劳动生产率立刻提高了一大截。群众中那种懒洋洋、好坏不分的松松垮垮劲儿，一下子变成了有对比、有竞争的热烈紧张气氛。

工人们觉得乔光朴那双很有神采的眼睛里装满了经验，现在已经习惯于服从他，甚至他一开口就服从。因为大伙相信他，他的确一次也没有辜负大伙的信任。他说一不二，敢拍板也敢负责，许了愿必还。他说扩建幼儿园，一座别致的幼儿园小楼已经竣工。他说全面完成任务就实行物质奖励，八月份电机厂工人第一次接到了奖金。黄玉辉小组提前十天完成任务，他写去一封表扬信，里面附了一百五十元钱。凡是那些技术上有一套，生产上肯卖劲，总之是正儿八经的工人，都说乔光朴是再好没有的厂长了。可是被编余的人呢，却恨死了他。因为谁也没想到，乔光朴竟想起了那么一个“绝主意”——把编余的组成了一个服务大队。

谁找道路，谁就会发现道路。乔光朴泼辣大胆，勇于实验和另辟蹊径。他把厂里从农村召用来搞基建和运输的一千多长期“临时工”全部辞掉，代之以服务大队。他派得力的财务科长李干去当大队长，从辞掉临时工省下的钱里拿出一部分作为给服务大队的奖励。编余的人在经济收入上并没有减少，可是有一些小青年却认为栽了跟头，没脸见人。特别是八车间的鬼怪式车工杜兵，被编余后女朋友跟他散了伙，他对乔光朴真有动刀子的心了。

在这条道路上乔光朴为自己树立的“仇敌”何止几个“杜兵”。一批被群众评下来成了“编余”的中层干部恼了。他们找到厂部，要求对厂长也进行考核。由于考核评判小组组长是童贞，怕他们两口子通气，还提出立刻就考。谁知乔光朴高兴得很，当即带着几个副厂长来到了大礼堂。一听说考厂长，下班的工人都来看新鲜，把大礼堂挤满了。任何人都可以提问题，从厂长的职责到现代化工厂的管理，乔光朴滔滔不绝，始终没有被问住。倒是冀申完全被考垮了，甚至对工厂的一些基本常识都搞不清，当场就被工人们称为“编余厂长”。这下可把冀申气炸了，他虽然控制着在考场上没有发作出来，可是心里认为这一切全是乔光朴安排好了来捉弄他的。

当生产副厂长，冀申本来就不胜任，而他对这种助手的地位却又很不习惯，简直不能忍受乔光朴对他的发号施令，尤其是在车间里当着工人的面。现在，经过考核，嫉妒和怨恨使他真地站到了反对乔光朴的那些被编余的人一边，由助手变为敌手了。他那青筋暴露的前额，阴气扑人的眼睛，仿佛是厂里一切祸水的根源。生产上一出事准和他有关，但又抓不住他大的把柄。乔光朴得从四面八方防备他，还得在四面八方给他堵漏洞。这怎么受得了？

乔光朴决定不叫冀申负责生产了，调他去搞基建。搞基建的服务大队像个火药桶，冀申一去非爆炸不可。乔光朴没有从政治角度考虑，石敢替他想到了。可是，乔光朴不仅没有听从石敢的劝告，反而又出人意料地调郗望北上来顶替冀申。郗望北是憋着一股劲下到二车间的，正是这股劲头赢得了乔光朴的好感。谁干得好让谁干，乔光朴毫无犹疑地跨过个人恩怨的障碍，使自己过去的冤家成了今天的助手。但是，正像石敢所预料的，冀申抓基建没有几天，服务大队里对乔光朴不满的那些人，开始活跃起来，甚至放出风，要把乔光朴再次打倒。

千奇百怪的矛盾，五花八门的问题，把乔光朴团团困在中间。他处理问题时拳打脚踢，这些矛盾回敬他时，也免不了会拳打脚踢。但眼下使他最焦心的并不是服务大队要把他打倒，而是明年的生产准备。明年他想把电机厂的产量数字搞到二百万千瓦，而电力部门并不欢迎他这个计划，倒满心希望能从国外多进口一些。还有燃料、材料、锻件的协作等等都不落实，因此乔光朴决定亲自出马去打一场外交战。

如果说乔光朴在自己的厂内还从来没有打过大败仗，这回出去搞外交，却是大败而归。他没有料到他的新里程上还有这么多的“雪山草地”，他不知道他的宏伟计划和现实之间还隔着一条组织混乱和作风腐败的鸿沟。厂内的“仇敌”他不在乎，可是厂外的“战友”不跟他合作却使他束手无策。他要求协作厂及早提供大的转子锻件，而且越多越好，但人家不受他指挥，不买他的账。要燃料也好，要材料也好，他不懂得这都是求人的事，协作的背后必须有心照不宣的互通有无，在计划的后面还得有暗地的交易。他这次出去总算长了一条见识：现在当一个厂长重要的不是懂不懂金属学、材料力学，而是看他是不是精通“关系学”。乔光朴恰恰这门学问成绩最差。他一向认为会处关系的人，大都成就不大。他这次出差的成果，恰好为自己的理论得了反证。

而他还不知道，当他十天后扫兴回来的时候，在他的工厂里，又有什么窝火的事在等着他呢！

三

乔光朴回厂先去找石敢。石敢一见是他进了门，慌忙把桌上的一堆材料塞到抽屉里。乔光朴心思全挂在厂里的生产上，没有在意。但和石敢还没有说上几句话，服务大队队长李干急匆匆推门进来，一见乔光朴，又惊又喜：“哎呀，厂长，你可回来了！”

“出了什么事？”乔光朴急问。

“咱们不是要增建宿舍大楼吗，生产队不让动工。郗望北被社员围住了，很可能还要挨两下打。”

“市规划局已经批准，我们已经交完钱啦。”

“生产队提出额外再要五台拖拉机。”

“又是这一套！”乔光朴恼怒地喊起来，“我们是搞电机的，往哪儿去弄拖拉机！”

“冀副厂长以前答应的。”

“扯淡！老冀呢，找他去。”

“他调走了。把服务大队搅了个乱七八糟，拔脚就走了。”李干不满地说。

“嗯？”乔光朴看看石敢。

石敢点点头：“三天前，上午和我打了个招呼，下午就到外贸局上任去了，走的上层路线，并没有征求我们党委的意见。他的人事关系、工资关系还留在我们厂里。”

“叫他把关系转走，我们厂不能白养这种不干活的人。”乔光朴朝李干一挥手，“走，咱俩去看看。”

乔光朴和李干坐车去生产队，在半路就碰上了郗望北骑着自行车正往厂里赶。李干喊住了他：“望北，怎么样？”

“解决完了。”郗望北答了一声，骑上车又跑，好像有什么急事在等着他。

李干冲郗望北赞赏地点点头：“真行，有一套办法。”他叫司机开车追上郗望北，脑袋探出车外喊：“你跑这么急，有什么事？乔厂长回来了。”

郗望北停下自行车，向坐在吉普车里的乔光朴打了招呼，说：“一车间下线出了问题。”

郗望北把自行车交给李干，跳上吉普车奔一车间。李干在后边大声喊：“乔厂长，我找你还有事没说完哩。”

是啊，事儿总是不断的，快到年底了，最紧张也最容易出事。可这会儿乔光朴最担心是一车间出问题影响全厂的任务。

他和郗望北走进一车间下线工段，只见车间主任正跟副总工程师童贞一个劲讲好话。童贞以她特有的镇静和执拗摇着头。车间主任渐渐耐不住性子了。这种女人，真是从来没见过。她不喊不叫，脸上甚至还挂着甜蜜蜜的笑容，说话温柔好听，可就是在技术问题上一点也不让步。不管你跟她发多大火，她总是那副温柔可亲的样子，但最后你还得按她的意见办。

车间主任正在气头上，一眼看见乔光朴，以为能治住这个女人的人来了，忙迎上去，抢了个原告："乔厂长，我们计划提前八天完成全年任务，明年一开始就来个开门红。可是这个十万千瓦发电机的下部线圈击穿率只超过百分之一，童贞就非叫我们返工不可。您当然知道，百分之一根本不算什么，上半年我们的线圈超过百分之二十、三十，也都走了。"

乔光朴问："击穿率超过的原因找到了吗？"

车间主任："还没有。"

童贞接过来说："不，找到了，我已经向你说过两次了，是下线时掉进灰尘，再加鞋子踩脏。叫你们搭个塑料棚，把发电机罩起来。工人下线时要换上干净衣服，在线圈上铺橡皮，脚不直接踩线圈。可你们嫌麻烦！"

"噢。嫌麻烦。搞废品省事，可是国家就麻烦了。"乔光朴看看车间主任，嘲讽地说，"为什么要文明生产，什么是质量管理制度，你在考试的时候答得不错呀。原来说是说，做是做呀！好吧，彻底返工。扣除你和给这个电机下线的工人的奖金。"

车间主任愣了。

童贞赶紧求情："老乔，他们就是返工也能完成任务，不应该扣他们的奖金。"

"这不是你的职责！"乔光朴看也不看童贞，冷冷地说，"因返工而造成的时间和材料的损失呢？"说完他头也不回地拉着郗望北走出了车间。

车间主任苦笑着对童贞说："服务大队的人反他，我们拼命保他，你看他对我们也是这么狠。"

童贞一句话没说。对技术问题，她一丝不苟，对这种事情，她插不上手。她所能做的，只是设法宽慰车间主任的心。

四

童贞知道乔光朴心情不好，就买了四张《秦香莲》的京剧票，晚上拉着郗望北夫妇一块去看戏。郗望北还没有回家，他们只好把票子留下，先拉上外甥媳妇去了戏院。

三个人要进戏院门口的时候，李干不知从什么地方钻出来。乔光朴一见他那样子，知道有事，便叫童贞她们先进场，自己跟着李干来到戏院后面一个清静的地方。站定以后，乔光朴问："什么事？"

他态度沉着，眼睛里似有一种因挫折而激出来的威光。李干见厂长这副样子，像吞了定心丸，紧张的情绪也缓和下来了，说："服务大队有人要闹事。"

"谁？"

"杜兵挑头，行政科刷下来的王秃子在后边使劲，他们叫嚷冀申也支持他们。杜兵三天没上班，和市里那批静坐示威的人可能挂上钩了。今天下午，他回厂和几个人嘀咕了一阵子，写了几张大字报，说是要贴到市委去，还要到市委门口去绝食。"

乔光朴看看精明能干的李干，问："你有点害怕了？"

李干说："我不怕他们。他们的矛头主要是朝你来的。"

乔光朴笑了："那些你别管，你就严格按制度办事。无故不上班的按旷工论处。不愿干的、想退职的悉听尊便。"

一个领导，要比被他领导的人坚强。乔光朴的态度鼓舞了李干，他也笑了："你散戏回家的道上要留神。我走了。"

乔光朴回到剧场刚坐下，催促观众安静的铃声就响了。像踩着铃声一样，又进来几个很有身份的人，坐在他们前一排的正中间座位上，冀申竟也在其中。他那灵活锐利的目光，显然在刚进场的时候就已经看见这几个人了。他回过头来，先冲童贞点点头，然后亲热地向乔光朴伸出手，说："你回来啦？收获怎么样？你这常胜将军亲自出马，必定会马到成功。"

乔光朴讨厌在公共场合故意旁若无人地高声谈笑，只是摇摇头没吭声。

冀申带着一副俯就的样子，望着乔光朴，说："以后有事到外贸局，一定去找我，千万不要客气。"

乔光朴觉得嗓子眼里像吞了只苍蝇。在人类感情方面，最叫人受不了的就是得意之色。而乔光朴现在从冀申脸上看到的正是这种神色。他怎么也想不通冀申这种得意之情是从哪儿来的。是无缘无故的高升？还是讥笑他乔光朴的吃力不讨好？

冀申的确感到了自己现在比乔光朴地位优越，正像几个月前他感到乔光朴比自己地位优越一样。他曾对乔光朴是那样地妒忌过，但是如果今天让他和乔光朴调换一下，让他付出乔光朴那样的代价去换取电机厂生产面貌的改观，他是不干的。他认为一个人把身家性命押在一场运动上，在政治上是犯忌的，一旦中央政策有变，自己就会成为牺牲品。搞现代化也是一场运动，乔光朴把命都放在这上面了，等于把自己推到了危险的悬崖上，随时都有再被摔下去的可能。电机厂反他的火药似乎已经点着了。冀申选这个时候离开电机厂，很为自己在政治上的远见卓识得意。今晚在这个场合看见了乔光朴，使他十分得意的心情上又加了十分。他悠然自得地看着戏，间或向身边的人发上几句议论。

可是坐在他后边的乔光朴，却无论怎样强制自己集中精神，也看不明白台上在演什么。他正琢磨找个什么借口离开这儿，又不至于伤那两个女人的心。郗望北在服务员手电光的引导下坐在了乔光朴的身边。童贞小声问他为什么来晚了，他的妻子问他吃晚饭没有，他哼哼叽叽只点点头。他坐了一会，斜眼瞄瞄乔光朴，轻声说："厂长，您还坐得下去吗？咱们别在这儿受罪了！"

乔光朴一摆脑袋，两个人离开了座位。他们来到剧场前厅，童贞追了出来。郗望北赶忙解释："我来找乔厂长谈出差的事。乔厂长到机械部获得了我们厂可能得到的最大的支持，又到电力部揽了不少大机组。下面就是材料、燃料和各关系户的协作问题。这些问题光靠写在纸面上的合同、部里的文件和乔厂长的果断都是不能解决的。解决这些是副厂长的本分。"

乔光朴没有料到郗望北会自愿请行，自己出去都没办来，不好叫副手再出去。而且，他能办来吗？郗望北显然是看出了乔光朴的难处和疑虑。这一点使他心里很不舒服。

童贞问："这么仓促？明天就走吗？"

"刚才征得党委书记同意，已经叫人去买车票了，也许连夜出发呢。"郗望北望着童贞，实际是说给乔光朴听。他知道乔光朴对他出去并不抱信心，又说："乔厂长作为领导大型企业的厂长，眼下有一个致命的弱点，不了解人的关系的变化。现在人与人之间的关系不同于战争年代，不同于五八年，也不同于'文化大革命'刚开始的那两年。历史在变，人也在变。连外国资本家都懂得人事关系的复杂难处，工业发展到一定程度，就大量搞自动化，使用机器人。机器人有个最大的优点，就是没有血肉，没有感情，但有铁的纪律，铁的原则。人的优点和缺点全在于有思想感情。有好的思想感情，也有坏的，比如偷懒耍滑、投机取巧、走后门等等。掌握人的思想感情是世界上最复杂的一门科学。"他突然把目光转向乔光朴，"您精通现代化企业的管理，把您的铁腕、精力要用在厂内。有重大问题要到局里、部里去，您可以亲自出马，您的牌子硬，说话比我们顶用。和兄弟厂、区社队、街道这些关系户打交道，应交给副厂长和科长们。这也可以留有余地，即便下边人捅了漏子，您还可以出来收场。什么事都亲自出头，厂长在外边顶了牛叫下边人怎么办？霍局长不是三令五申，提倡重大任务要敢立军令状吗，我这次出去也可以立军令状。但有一条，我反正要达到咱们的目的，不违犯国家法律，至于用什么办法，您最好别干涉。"

乔光朴左颊上的肉棱子跳动起来，用讥讽的目光瞧着郗望北，没有说话。

这下把郗望北激恼了："如果有一天社会风气改变了，您可以为我现在办的事狠狠处罚我，我非常乐于接受。但是社会风气一天不改，您就没有权利嘲笑我的理论和实践。因为这一套现在能解决问题。"

"你可以去试一试。"乔光朴说，"但不许你再鼓吹那一套，而且每干一件事总要先发表一通理论。我生平最讨厌编造真理的人。"他要童贞继续陪外甥媳妇看戏，自己去找石敢了。

童贞同情地望着丈夫的背影，乔光朴不失常态，脚步坚定有力。她知道他时常把自己的痛苦和弱点掩藏起来，一个人悄悄地治疗，甚至在她面前也不表示沮丧和无能。有人坚强是因为被自尊心所强制，乔光朴却是被肩上的担子所强制的。电机厂好不容易搞成这个样子，如果他一退坡，立刻就会垮下来，他没有权利在这种时候表示软弱和胆怯。

郗望北却望着乔光朴的背影笑了。

童贞忧虑地说："我一听到你们俩谈话就担心，生怕你们会吵起来。"

"不会的。"郗望北亲热地扶住童贞的胳膊，说，"老姨，我说点使您高兴的话吧，乔厂长是目前咱们国家里不可多得的好厂长。您不见咱们厂好多干部都在学他的样子，学他的铁腕，甚至学他说话的腔调。在这样的厂长手下是会干出成绩来的。我不能说喜欢他，可是他整顿厂子的魄力使我折服。他这套作风，在五八年以前的厂长们身上并不稀少，现在却非常珍贵了。他对我也有一股强大的吸引力，不过我在拼命抵抗，不想完全向他投降。他瞧不起窝囊废。"

他看看手表："哎呀，我得赶紧走了。说实话，给他这样的厂长当副手，也是真辛苦。"说完匆匆走了。

五

石敢在灯下仔细地研究着一封封控告信，这些信有的是直接写给厂党委的，有的是从市委和中央转来的。他的心情是复杂的，有恼怒，有惊怕，也有愧疚。控告信告的全是乔光朴，不仅没有一句控告他这个党委书记的话，甚至把他当作了乔光朴大搞夫妻店，破坏民主，独断专行的一个牺牲品。说乔光朴把他当成了聋子耳朵——摆设，在政治上把他搞成了活哑巴。这本来是他平时惯于装聋作哑的成绩，他应该庆幸自己在政治上的老谋深算。但现在他却异常憎恨自己，他开脱了自己却加重了老乔的罪过，这是他没有料到的。他算一个什么人呢？况且这几个月他的心叫乔光朴燎得已经活泛了。他的感情和理智一直在进行争斗，而且是感情占上风的时候多，在几个重要问题上他不仅是默许，甚至是暗地支持了乔光朴。他想如果干部都像老乔，而不像他石敢，如果工厂都像现在电机厂这么搞，国家也许能很快搞成个样子；党也许能返老还童，机体很快康复起来。可是这些控告信又像一顿冰雹似的撸头盖脸砸下来，可能将要被砸死的是乔光朴，但是却首先狠狠地砸伤了石敢那颗已经创伤累累的心。他真不知道怎样对付这些控告信，他生怕杜兵这些人和社会上那些正在闹事的人串联起来，酿成乱子。

石敢注意力全集中在控告信上，听见外面有人喊他，开开门见是霍大道，赶紧让进屋。

霍大道看看屋子："老乔没在你这儿？"

"他没来。"

"嗯？"霍大道端起石敢给他沏的茶喝了一口，"我听说他回来了，吃过饭就去看他，碰了锁，我估计他会到你这儿来。"

"他们两口子看戏去了。"石敢说。

"噢，那我就在这儿等吧，今天晚上不管有多好的戏，他也不会看下去。可惜童贞的一片苦心。"霍大道轻轻笑了。

石敢表示怀疑地说："他可是戏迷。"

"你要不信，咱俩打赌。"霍大道今晚上的情绪非常好，好像根本没注意石敢那愁眉苦脸的样子。又自言自语地说："他真正迷的是他的专业、他的工厂。"

霍大道扫了一眼石敢桌上的那一堆控告信，好像不经意似地随便问道：“他都知道了吗？”

石敢摇摇头。

“出差的收获怎么样，心情还可以吗？”

石敢又摇摇头。刚想说什么，门忽然开了，乔光朴走进来。

霍大道突然哈哈大笑，使劲拍了一下石敢的肩膀。

这下把乔光朴笑傻了。石敢赶紧收藏控告信。这一回他的神情引起了乔光朴的注意。乔光朴走过去抓起一张纸看起来。

霍大道向石敢示意：“都给他看看吧。”

心里并不畅快的乔光朴，看完一封封控告信，暴怒地把桌子一拍：“混蛋，流氓！”

他急促地在屋里来回走着，左颊上的肌肉不住地颤抖。他没有吱声，嘴里的牙咬得咯嘣咯嘣响。他走到霍大道跟前，霍大道悠闲而专心地看报，没有看他。他问石敢：“你打算怎么办？”

石敢扫一眼乔光朴，说：“现在你可以离开这个厂了，今年的任务肯定能完成，你完全可以回局交令。我一个人留下来，风波不平我不走。”

乔光朴吼起来：“你说什么？叫我溜？电机厂还要不要？”

“你这个人还要不要？你要再完蛋了，要伤一大批人的心，往后谁还干！”石敢实际也是说给霍大道听。

霍大道静静看着他们俩，就是不吭声。

乔光朴怒不可遏，在屋里来回蹓跶，嘴里嚷着：“我不怕这一套，我当一天厂长，就得这么干！”

石敢终于忍不住走到霍大道跟前，说：“霍局长，你说怎么办？”

霍大道淡淡地说：“几封控告信就把你吓成这个样子。不过你还够朋友，挺讲义气，让老乔先撤，你为他两肋插刀顶上一阵子，然后两人一块上山。嗯，真不错。石敢同志大有进步了。”

石敢的脸腾一下红了。

霍大道含笑对乔光朴说：“老乔，你回电机厂这半年，有一条很大的功绩，就是把一个哑巴饲养员培养成了国家的十二级干部。石敢现在变化很大了，说话多了，以前需要别人绑上拖着去上任，现在自己又想当书记又想兼厂长。老石同志，你别脸红，我说的是实话。你现在开始有点像个党委书记了。不过有件事我还得批评你，冀申调动，不符合组织手续，没有通过局党委，你为什么放他走？”

石敢脸一红一白，这么大老头子了，他还没吃过这样的批评。

霍大道站起来，走到乔光朴身边，透彻肺腑的目光，久久地盯住对方：“咬什么牙，不值得。在我们民族的老俗话中，我喜爱这一句：宁叫人打死，不叫人吓死！请问：你的精力怎么分配？”

“百分之四十用在厂内正事上，百分之五十用去应付扯皮，百分之十应付挨骂、挨批。”乔光朴不假思索地说。

“太浪费了。百分之八十要用在厂里的正事上，百分之二十用来研究世界机电工业发展状态。”霍大道突然态度异常严肃起来，“老乔，搞现代化并不单纯是个技术问题，还要得罪人。不干事才最保险，但那是真正的犯罪。什么误解呀，委屈呀，诬告呀，咒骂呀，讥笑呀，悉听尊便。我在台上，就当主角，都得听我这么干。我们要的是实现现代化的‘时间和数字’，这才是人民根本的和长远的利益所在。眼下不过是开场，好戏还在后头呢！”

霍大道见两个人的脸色越来越开朗，继续说：“昨天我接到部长的电话，他对你在电机厂的搞法很感兴趣，还叫我告诉你，不妨把手脚再放开一点，各种办法都可以试一试，积累点经验，存点问题，明年春天我们到国外去转一圈。中国现代化这个题目还得我们中国人自己做，但考察一下先进国家的做法还是有好处的……”

三个人坐下，一边喝着茶，一边谈起来，越谈兴致越高。霍大道突然对乔光朴说：“听说你学黑头学得不错，来两口叫咱们听听。”

“行。”乔光朴毫不客气，喝了一口水，把脸稍微一侧，用很有点裘派的味道唱起来：

包龙图，打坐在开封府！

……

附录 1

改革开放40年小说论坛答记者问

王 干

1. 为什么举办这次活动？反映改革开放40周年的佳作如云，确定取舍、入选作品的标准为何？

答：改革开放40年来，我们国家在经济、社会、文化等方方面面都取得了很大的发展，文学更是取得了非常大的成就。文学与改革开放是一起呐喊、一起前进，成为改革开放文化的一部分。我们《小说选刊》和中国小说学会及人民日报海外网联合举办改革开放40年小说论坛暨最有影响力的40部小说评选活动，就是想通过对这40年小说的回顾、梳理，同时也是对改革开放的重新理解、重新认识，从而对小说创作所呈现出来的风貌与改革开放的关系进行一个学术性研究和历史性回顾。

改革开放跟小说创作的关系是非常有意思的。首先，文学呼唤改革开放。1978年以来，中国的文学家、小说家“春江水暖鸭先知”，率先感受到时代春风的来临。同时，文学也反映人民的心声，能够及时地传达老百姓对社会变革、对社会进步的诉求。我们从两个方面就能看出改革开放跟小说的关系，一个是作家通过写作品来呼唤时代变革，呼唤社会进步，呼唤我们对旧有的陋习、旧有的陈规进行变革性的改造，比如高晓声的《陈奂生上城》、刘心武的《班主任》、王蒙的《春之声》。《春之声》这部作品就可以概括为“春江水暖鸭先知”，它首先感应到春天来临的消息。这是感知、呼唤改革。第二个就是小说呈现改革的进程、改革的艰难。比如直接描写改革的小说《乔厂长上任记》，成为中国改革小说的先驱。同时还有其他一些作家，也对中国改革进行了正面的描写，张洁的《沉重的翅膀》则是对改革现实的书写，张贤亮、周梅森等都有描写改革进程的长篇小说。

我们通过这次 40 年的回顾，可以看到我们中国社会在改革开放中取得的成果，同时也能够看到中国社会向前前进的艰难。这个活动是出于这样一个动机，就是用小说来展现改革开放 40 年的进程，同时也是把我们的小说放在一个大的历史背景、时代背景里来考察。另一个方面就是小说在艺术创作上，这 40 年中国小说的变化也是非常大的，经过了一个浪潮又一个浪潮，受到西方文学的影响之后，也慢慢产生了中国特色的现实主义小说，比如新写实小说就是改革开放之后诞生的一种比较成熟的小说流派、小说美学。

这次入选的作品从内容上、形式上都能够看出小说在这些年的进步和发展。当然，这些年我们的文学也是经过了伤痕文学、反思文学、改革文学、寻根文学、先锋文学、新写实小说以及后来的各种各样文学的变化。改革开放 40 年，我们在经济上取得了跨越式发展，在文学上我们也是高速地走过了西方近一百年的文学历程，小说更是明显。这 40 年我们几乎把西方的各种流派、各种主张在中国操练了一遍，并在操练的过程中，慢慢形成了中国特色的小说，比如中国特色的现实主义“新写实小说”。我们举办这个论坛的目的就是，在对过去的历史进行梳理的同时，找出过去的不足，找出今后我们发展的方向，从而更好地促进小说的发展与进步。

2. 这个活动为何会选择在青岛举办？

改革开放以来，中国社会从一个比较封闭、缺少现代意识和现代文明的时空进入到一个新的时空，这个新的时空的一个特征就是当时沿海开放了 14 个港口城市，青岛是其中之一。作为最早开放的城市，青岛始终站在改革开放风气之先，为中国的改革开放提供了很多经验，做出了许多贡献，南方的深圳、北方的青岛，都是改革开放最前沿的城市。这次活动放在青岛，也是让改革开放的城市和我们改革开放的小说、文学能够有机结合起来。

同时，青岛这些年来也产生了像尤凤伟这样的在改革开放中成长起来的优秀作家，他不仅是山东文学的重要组成部分，更是中国改革开放小说版图上不可缺少的一块。

3. 之前中国小说学会在青岛举行年会，您也来过青岛，您对青岛二十世纪三四十年代的文学渊源有何见解？

这也是这次论坛选在青岛举办的一个原因。青岛是一个文学的城市。二十世纪有大量的文学家在青岛留下他们的足迹，也留下他们的作品。老舍在青岛期间创作了长篇小说《骆驼祥子》和两部散文集。沈从文 1931—1933 年在青岛任国立青岛大学讲师，这期间完成了几十部中短篇小说和散文，有《自传》《八骏图》《月下小景》等。梁实秋 1930—1934 年在国立青岛大学任外文系主任兼图书馆馆长，在青岛期间开始翻译影响广泛的《莎士比亚全集》。闻一多任国立青岛大学文学院院长时著有《奇迹》等诗。除此之外还有很多，青岛一直与文学有着千丝万缕的密切联系。改革开放这些年来，王蒙先生在青岛的海洋大学担任文学院院长，也是延续了青岛作为文学城的传统。所以这次活动选在青岛，既是与改革开放现实的对接，也是文学传统的延续。

4. 此次论坛专家委员会的构成有什么特点？

这次活动不是评奖，也不是写文学史，这是一次带有主题的评选，我们评选的是最有影响力的 40 部小说。影响力主要从三个方面讲：第一，当时的社会影响。就是当时在社会上产生的影响，在读者中激起的波澜。第二，它和文学史的遴选不一样，文学史注重全貌和整体，我们这次注重的是最具有改革开放精神的作品。第三，也注重在小说发展史的地位和影响。入选作品在小说艺术创新上的成就，比如它延续了什么、有没有影响其他人的写作、有没有影响时代风潮的变化等。

由于这次评选注重影响力，不是学院派的评选，我们注重社会影响和社会思潮，从社会学和文学史的双重角度来考察作品。一部作品当时的社会影响力是怎样，回过头看，它对我们今天的社会产生了什么作用，这是我们关注的。所以我们的专家委员会构成既邀请了一些专家学者，比如中国小说学会的一些专家，部分高校的教授，也邀请了一些接地气、现场感强的编辑家和评论家。评委主要由三方面构成：第一是在文学现场、文学生产第一线的编辑家；第二是始终在文学创作现场的评论家，就是这些年来一直在跟踪、研究、描述当下小说创作的评论家；第三是在作协系统相关部门工作的专家和学者。我们的专家委员会除了专业性以外，还考虑到方方面面的代表性。

所以我们这次的评选是有广泛的社会性和广泛的群众基础的。专家构成比较全面，不是某一种类型的，或者学院派的专家团队，而是各种类型、方方面面的，有社会各方面代表性的专家团队。

5. 这次的评选方式是怎样的?

我们这次的评选方式比较有意思，是通过通讯投票的方式。评委和评委之间是背靠背的，是真正意义上的票选，有点类似民主选举。我们提供了 120 部备选作品，40 部长篇，40 部中篇，40 部短篇，由 40 位专家投票选出 15 部长篇、15 部中篇、10 部短篇，一共选 40 部最有影响力的小说。入选作品严格按票数多少来确定，得票靠前当然入选。入选的作品自然是众望所归，但长篇、中篇、短篇作为备选的 40 部作品，都是有影响力的小说，每一部落选都是很遗憾的，我们尊重专家委员会的选择，也感谢那些入选和没有入选的作家，因为他们的伟大创作，才让我们的评选充满了惊叹和遗憾，惊叹他们的创作至今仍有价值，遗憾一些好作家好作品的落选。

（原载《青岛日报》）

附录 2

改革开放40年小说论坛暨最有影响力小说评选

专家委员会

主　任　阎晶明　吴义勤

副主任　王　干　赵利民

委　员（以姓氏笔画顺序）

王　干　王　山　王春林　文　欢　卢　翎　老　藤　毕光明
刘玉栋　杜学文　李一鸣　李国平　李晓东　李掖平　杨　扬
吴义勤　吴克敬　何子英　何向阳　汪　政　张未民　张颐武
张燕玲　林　霆　欧阳黔森　周明全　郑建华　宗仁发
胡　平　赵利民　段守新　施战军　徐晨亮　高建刚　郭宝亮
黄发有　阎晶明　梁鸿鹰　程永新　路英勇　臧永清

主办单位

中国作家协会《小说选刊》杂志社
中国小说学会
人民日报海外网

承办单位

青岛市作家协会

论坛办公室主任

王　干
赵利民

论坛办公室副主任

李晓东
徐　蕾
高建刚

附录 3

改革开放 40 年最有影响力小说入选篇目

（以作家姓氏笔画为序）

长篇小说（15 部）

活动变人形 …… 王　蒙
长恨歌 …… 王安忆
务虚笔记 …… 史铁生
芙蓉镇 …… 古　华
白鹿原 …… 陈忠实
羊的门 …… 李佩甫
尘埃落定 …… 阿　来
沉重的翅膀 …… 张　洁
古船 …… 张　炜
繁花 …… 金宇澄
生死疲劳 …… 莫　言
笨花 …… 铁　凝
春尽江南 …… 格　非
浮躁 …… 贾平凹
平凡的世界 …… 路　遥

中篇小说（15 部）

黄金时代 …… 王小波
风景 …… 方　方
你别无选择 …… 刘索拉
玉米 …… 毕飞宇
高山下的花环 …… 李存葆
绿化树 …… 张贤亮
美食家 …… 陆文夫

棋王 …………………………………………………………………… 阿　城
妻妾成群 ………………………………………………………………… 苏　童
活着 …………………………………………………………………… 余　华
世界上所有的夜晚 ……………………………………………………… 迟子建
红高粱 ………………………………………………………………… 莫　言
人到中年 ……………………………………………………………… 谌　容
今夜有暴风雪 …………………………………………………………… 梁晓声
人生 …………………………………………………………………… 路　遥

短篇小说（10部）

春之声 ………………………………………………………………… 王　蒙
为兄弟国瑞善后 ………………………………………………………… 尤凤伟
我的遥远的清平湾 ……………………………………………………… 史铁生
班主任 ………………………………………………………………… 刘心武
狗日的粮食 ……………………………………………………………… 刘　恒
受戒 …………………………………………………………………… 汪曾祺
爱是不能忘记的 ………………………………………………………… 张　洁
陈奂生上城 ……………………………………………………………… 高晓声
哦，香雪 ………………………………………………………………… 铁　凝
乔厂长上任记 …………………………………………………………… 蒋子龙